Title : **Altitude**
Author · Publisher : Dr. Chester Chang
Korean translation : Yeo Chun Yoon
Planning & Editing : Korean American History Museum
                     (Executive Director: Pyong Yong Min)
                     2975 Wilshire Blvd. Suite #K
                     Los Angeles, CA 90010 USA
                     (213) 321-0884
Date : June 15, 2018
Printing : Printron Printing Co.
            13527 S. Normandie Ave.
            Gardena, CA 90249 USA
            (310) 324-1393
Price : $20.00
ISBN Number : 978-0-692-10516-0

Altitude

Tackling Challenges on my Journey from Korea to America

Chester Chang

Part 1

Five Logos representing 42 years of
Dr. Chester Chang's US Government Services.

Dignity for
the
homeless

ACKNOWLEDGEMENTS

Foremost I wish to thank Wanda, my wife of 40 years. She has been by my side and been supportive of my wildest endeavors.

I also wish to thank my two sons, Chester, who was born in Seoul Korea, and Cameron who was born in Tokyo, Japan. They have taught me a lot and given me so much. My children along with Wanda have been there with me during my foreign assignments and provided the love and energy for me to go forward. Though words can not fully express my deepest gratitude. Thank you for your love.

I wish to thank my parents who gave me the necessary support and set the standards for me to move ahead and reach for the sky.

My two brothers George, Esq. and Michael Ph.D, M.D, who provided me with what siblings do, a partnership in the growing process.

My special thanks to all my mentors who helped to guide me, and foremost my Uncle Minn Byung Do and Aunt Im Chang Soon for sharing without reservation or qualifications.

To my mother-in law Kim Young Ja, and my cousin Shin Myung Ae for making my marriage possible, without their support my wife and I may not have been married. To my newest daughter-in law, Nicole, thanks. Thank you all for supporting me, and bringing so much into my life.

With much love,
Chester Chang

PREFACE

Around The World in 42 Years with the U.S. Government

Y ou might be surprised to know this about me, but I share an exclusive award with the likes of astronauts like Neil Armstrong and aviators like Gen. Chuck Yeager.

Now, I've never flown to the moon or walked on it. Nor did I break the sound barrier. I'm not a decorated military pilot. But to use an appropriate metaphor for an old pilot like myself, I've learned how high you can go in life even if the deck seems stacked against you.

When I came to the United States at the age 8 as diplomat's son from Korea, I couldn't speak English or understand it. That was the first of many challenges I had at a young age, as you'll see.

As a young adult, I noticed as I made my way around aviation circles that people of color in the U.S. weren't airline pilots. We were flight support, but not pilots.

When I look back, I had a lot to overcome. I managed to so because aside from being fortunate to know some wonderful people, I always had a positive attitude. I never gave up and I never forgot my dreams and goals. My dad instilled in me and my two brothers a work ethic and a healthy respect for education, which has benefited us greatly. He also set an example.

I became a pilot, then an airline pilot, then a captain. I was hired by the Federal Aviation Administration (FAA) and because of my accumulated knowledge and experience I became an FAA Designated Pilot Examiner (DPE) and FAA Flight Standards

Official. This means I certified other pilots, planes and airlines to fly. I had numerous areas of responsibilities during my 42 year FAA career. I also held a "top-secret" clearance in 36 of those years.

I've earned many credentials over the years, including airline transport pilot (jet transport type ratings), flight instructor, flight engineer, aircraft dispatcher, single, multi-engine, land & sea aircraft, rotorcraft helicopter, glider and balloon.

I've logged over 10,000 hours of flight time on a global scale. Such travels around the world also helped me find antique treasures in Japan, China, and Vietnam to add to my family's extensive and generations-old Korean art collection. At its peak before I started donating pieces of it, it stood at around 1,000 pieces.

In 2015, I was awarded the Wright Brothers Master Pilots Award. Recipients include Neil Armstrong, Chuck Yeager, and golfer Arnold Palmer, among others. The award is given by the Department of Transportation, Federal Aviation Administration.

To be eligible for the Wright Brothers Master Pilot Award you must:

1. Hold a U.S. Civil Aviation Authority (CAA) or Federal Aviation Administration (FAA) pilot certificate.

2. Have 50 or more years of civil and military flying experience (Up to 20 years of the required 50 years may be U.S. military experience).

3. Be a U.S. citizen.

In addition, you must not have any FAA violations or, of course, accidents.

Now as a prerequisite for this most honored position in aviation, you must be a U.S. citizen for 50 years, you have to be flying for 50 years, and you must not have any FAA violations or of course, accidents.

The citation reads "Presented to Chester Chang in appreciation for your dedicated service, technical expertise, professionalism, and many outstanding contributions to further the cause of aviation safety."

I don't tell you this to prop myself up to you, but to illustrate you too can overcome any obstacles and challenges. I know you can because I did so. Like the line Anthony Hopkins' character says in the movie "The Edge." "What one man can do, another can also."

Here's my story and the life lessons that have come out of it. And remember, this isn't a cliché, the sky and beyond holds no limit for what you can achieve.

Chester Chang

My First Solo Flight in Model 7AC Champion over Torrance California July 1959.

TABLE OF CONTENTS

TABLE OF CONTENTS

Taken at my son's wedding, the day was especially meaningful since it was also my wife and I were celebrating our 40th anniversary.

CHAPTER ONE

Foreshadowing

The first words of English I ever learned were "Hello, G.I."

In many ways it was a foreshadowing of where my life and my home would be, in the United States of America.

I was born in Seoul, Korea in February 1939.

My given name is Chang Jung Ki. In 1948 I first arrived in the United States, landing in Los Angeles, California. My father, Chang Chi Whan, changed my name to "Chester" in 1949. How much more American can you get than that? In fact, my father picked that name from the somewhat obscure 21st President of the United States, Chester A. Arthur.

Chester Arthur wasn't that obscure to my dad. He learned from history that Korea's first ambassador to the United States presented his credential to President Chester A. Arthur, in September 1883.

Now how we came to the U.S. was due to my father. He was born in 1914. Learning was ingrained in him from an early age. When he was older he went to seek a higher formal education. Back in those days in Korea, if you wanted higher education you went to Seoul, capital of Korea and fortunately, he was already there.

My dad was in Seoul during the World War II, studying. Korea had been occupied by the Japanese army for more than 30 years. The conflict didn't really touch me and I don't remember too many details during that time.

Even as a child, I knew there was something ominous about the Japanese Imperial Army.

In August 1945 there was a "change" in our neighborhood; the defeated and surrendering Japanese army was leaving to a chorus of "go Japanese!", by Koreans. Then there was jubilation for our new "neighbor", the arriving United States Army. It was a welcomed changing of the guard.

There are things a kid remembers and stand out. For me, the uniforms of the G.I.'s was sharp and striking, even with when they had dirt on them. I noticed their black boots and the Jeeps they drove, with legs outside on the small steps making the boots even more prominent. All the G.I.'s seemed to do the same thing, pointing their thumb at themselves and saying we are "G.I.'s." Later the G.I.'s shared some of their rations with us, such as chocolate pound cake.

Post World War II my Dad was hired by Korea's Maritime Ministry. A new Republic of Korea government was in power, headed by the U.S. backed Syngman Rhee. Due to the fact my dad was educated, spoke multiple languages and had worked for the government, he was selected to be one of the first Korean diplomats.

My father's duty was to establish the first Korean consulate office in the United States, which turned out to be in Los Angeles, California, to conduct bi-lateral relations. Me, my mother and my two younger brothers would join him six months later in December 1948.

"Education, education," was my dad's mantra. That's why he went abroad to learn what the world was all about. I heard my dad say often, in Korean, "Learn, Learn. You don't learn, you don't know the world."

Here's really a great photo, my brothers and I dressed up with ties and natty overcoats, my parents beaming. It was the start of our new life in California.

My father and mother at Los Angeles Korean Consulate Office in 1949.

My mother, brothers and I

We moved to a comfortable four bedroom house on McClintock Street near the University of Southern California (USC) provided by the Korean Government.

Integrated but Not Assimilated

There was no real Korean community in Los Angeles in those days except for two small Korean Churches. Upon arriving I was integrated but not assimilated. What I mean by that was, enrolled in, 32nd St. Elementary School, as a 2nd grader, but there was one small problem; I didn't speak a word of English other than the aforementioned "Hello, G.I." To make matters worse, nobody there spoke a word of Korean. I now had my first challenge in life.

The result of this was at 8 years old, I felt inferior, not up to par. My teacher expected me to speak English and that was an expectation I couldn't take. Now of course looking back, it was ridiculous for me to feel that way. How was I supposed to just instantly learn English? But that's not the way I processed my predicament back then.

It was a pure Caucasian school; I was the only child of color. I don't recall being bullied or treated poorly. More or less I was just ignored. And that's pretty terrible in and of itself. Not speaking English of course made it very difficult for me to interact and to learn the American culture.

Without the ability to communicate you don't really have anyone you can spend time with except your family. My process of

My 2nd grade report card

learning English was slow and completely on my own. A sort of "do or die", "sink or swim". My father spoke the language of course, my mother did not.

Today it's completely different for students where English is not the first language. These days students go through an entirely different process. There are steps they usually go through to avoid my predicament. But in those days there were none. You just walked in. There was no orientation, no transition time. You had to hit the ground running even though you don't know the lay of the land.

It's the isolation that kills you inside; you have no friends. So that's what I meant by Integrated yet isolated.

Ironically enough, my first job at age 10, even though I could not speak English, was delivering the Los Angeles Times newspaper both daily and on Sunday. I still remember how heavy those Sunday papers were, especially when I was riding my bike uphill. I enjoyed having the responsibility of a paper route and a part time job.

CHAPTER TWO

The Knock at the Door

In 1950, we were about to make arrangements for departure back to Korea.

But when the Korean war broke out on June 25, 1950, all flights and ships were not taking civilian passengers to Korea. Like everyone else, we were in a state of shock and confused. While my father was desperately making arragements for the way to Korea, U.S. Immigration Officials appeared at our door.

So our tranquil life changed one day with that ominous knock on the door. My father opened it and was met with inspectors from the U.S. Immigration Service.

After a short conversation, they were about to handcuff him! Now that's a very scary thing for a child to witness. My Dad somehow talked them out of doing that and bought some time. I don't know the particulars but perhaps it had to do with him being a diplomat.

However a few days later my family and I found ourselves in Immigration Detention Center Long Beach, Ca. That's jail for those of you who've never had the "pleasure." We were behind bars, and being that I was over 10 years old, I was kept isolated during selected times when we were out of our cells.

My father was given a choice; we could go back to our war-torn country, perhaps go to another country if we could arrange that, or stay in the United States and be held as an immigration detainee.

I don't know exactly why my Dad choose the option of staying here, but I think he wanted to plant his flag so to speak in America and was willing to tough it out.

My father even left our family's very valuable Korean antiques collection, passed down to him and my mother from generations of their respective ancestors, with a prominent local Korean man named Leo Song who invented Nectar by the way. My father didn't bring the entire collection over, initially a few pieces, and that is what he left with Mr. Song.

I think it was my dad's way of further committing in his mind we were staying put in the U.S. regardless of what we were going to have to endure.

My dad had used the ceramics and paintings of the collection at diplomate gatherings as a way to find common ground with guests, as so many people from all cultures appreciate art. He loved communicating by sharing Korea's heritage through art with the Americans he came into contact with.

I started collecting things too, such as coke bottles and baseball cards. Now in terms of baseball cards, I didn't really follow baseball but I liked the cards because other boys liked them too. The urge to collect cultural things in me was emerging.

Farm "Life"

After about one month at the Long Beach Detention Center we were sent to our first labor farm in Culver City, CA. We lived on the farm, where cabbage and other vegetables were grown. Our housing was bungalows for migrant workers. Other families lived there too. My bed was two trunks pushed together with a mattress slapped on top. There was a common kitchen and bathroom areas.

I'm not exactly sure what the purpose of this was in the Immigration Service' collective minds. My best guess was that it was a way to keep a family all in one place and in such a manner that they could keep an eye on us. We did receive visits on the farm from the immigration service and of course the people in charge of the farm sent in work reports on us.

Even at that young age I did a lot of the cooking for our family. My mother, whose name was Pung Yoon Chang, had to be in the field in the morning, so I usually made breakfast and other meals that could be stored and eaten later. My culinary expertise included spam and eggs, still a favorite of mine, along with ox tail soup, rice, and I even made Kimchi, the national dish in Korea.

My father petitioned Immigration to be allowed to enroll me and my two younger brothers into the nearby Short Ave. Elementary School. So my life was cooking in the morning, going to school, coming home and working in the fields for two or three hours.

Dinner was my mother's purview, and what a treat that could be! The menu might include cabbage soup, fish, diced turnips, and other delicacies. Now and then, we'd have hamburgers with rice. My contribution at night was washing the dishes.

On weekends, only with prior approval from the U.S. Immigration Officials, we were allowed to go to the movies, but only in the afternoon matinees.

My two brothers, George and Michael also have taken

American names. They were 7 and 5, integrated well with their new environment. However, for me it was difficult. I was the one who still had the daily farm chores to attend to, and friends come easier when you have time for things like playing after school to interact. School was difficult, as was expressing myself.

Somehow after a year, the Immigration Service gave us a six month reprieve, freedom, where we didn't have to work on a farm.

During this respite we lived in an apartment and was able to attend John Adams Junior High School near downtown. This was around 1952 and while I could speak English better, I still couldn't really read it.

Financially, we made it through on savings my father had accumulated. It's wasn't a lot, but enough to see us through.

With our new-found "freedom" we even now and then could go out to a Chinese restaurant, the closest thing we could find to Korean food. We purchased nice clothes, it was almost like it was before. However, we were always prepared to move on. We knew the Immigration Service's clock was ticking on us.

My father's younger sister Lesa, who he was so attached to, spent much time together with us during this period. She had come to the United States in 1947 while in her early 20's, on a work visa. Knowing that soon they would be part, my dad and Aunt Lesa talked about their impending and inevitable separation. We were on deportation status due to being here initially on a diplomatic visa.

My mom, my brothers and I knew about it too, it's just that we didn't talk about it. We did know farm life and separation

From left to right: Aunt Lesa, Michael, my father, mother, George and me.

from relatives was in our near future, like a dark cloud hanging over us.

My father was the oldest male of his siblings, so he grew up as almost a part from his younger brother and sister. Now my dad was brokenhearted knowing once he was forced back into farm life, he wouldn't be able to look after Aunt Lesa. Not knowing where or who to turn to broke my father's heart.

Lesa later took a full time job as a Korean Language teacher for the US Military in Presidio near San Francisco, which back then was home to a fort.

As we surmised, the "party" only lasted six months. Soon there was another knock at the door by Immigration, another trip to the Long Beach Detention Center, and then a trip to Portland, Oregon for more farm life.

Immigration didn't care if my brothers or I were in the

middle of a semester; it was up to us to adapt. You soon become an experienced person in this type of lifestyle.

In Portland during this period, there was no school for me. Now I was a full time migrant farm worker even though I was only around 14 years old. This farm grew cabbage, lettuce, raspberries and strawberries.

My life was cooking, working in the farm, cleaning, sleeping and then getting up in the morning for more of the same. Or to be more accurate, exactly the same. If you're looking for variety, that kind of farm life wasn't the place to find it.

I was one of the best producers in the camp. This is measured by how many trays you fill up with crops and in what time frame you accomplish the task.

I also grew up quick. When I saw my young and beautiful mother harassed in the raspberry fields by other male workers, I intervened. Nothing happened but it left me with a feeling that if anything had, I wasn't physically prepared. I was angry and frustrated that I couldn't really do anything if the situation had escalated.

It wasn't the first time my mother was harassed, and it wasn't the first time I was in an altercation. Once I was jumped by several guys before the foreman broke it up.

After another six to eight months, we continued our U.S. Immigration Services sponsored "tour" of the Great Northwest when we were sent to Seattle, Washington. We lived in a motel for four months while waiting to be put on a farm, but never were. My father managed to enroll me in another junior high school during this time.

CHAPTER THREE

Korea Bound

When the 1953 armistice ended the fighting in Korea, our time in the U.S. was over. Immigration came, gathered us up, and forced us to leave now that the war was over. We were put on a freighter bound for South Korea, the only passengers among the freighter manifest.

I still remember leaving Seattle on the US President Lines, California Golden Bear freighter. The departure was mid-night at the beauty of the lights and city as we made our way out to the darkness of the sea.

My experience of being a farm worker at such a young age, and a conscripted one at that, taught me that I had and could get a job done regardless of the circumstances. Even at my young age I was expected to produce, produce, and produce. I also learned I could be a contributor and to have patience.

I recall observing my mother's behavior in our farm tour. She farmed with a positive attitude in supporting my father during this challenging time. My mom set quite the example to me of being positive and making the best out of things.

When I got aboard that ship I felt so calm. Having learned a little bit more of the English language and because of the varied experiences I had been through, I left the United States more confident than when I arrived.

Those three weeks on that freighter steaming toward South Korea also taught me a great deal about life. I continued to learn English and the American captain who was very friendly and nice to me. He even gave me a tour of the ship, the engine room, etc.

The captain was puzzled, and asked "Why is your family going the opposite direction, when everyone there is desperately trying to leave." I had no answer for the captain.

The skipper became a mentor of mine.

From Seattle to Pusan (now Busan Metropolitan City), South Korea was a very peaceful and rewarding journey for me. Overall, I was starting to get an identity of who I was.

I now realized I was capable in several areas. The American skipper also took an interest in me and gave me encouragement. He told me I could even be a captain if I wanted to be. He was a great mentor. He also taught me etiquette in many areas.

A Stranger Again

As our journey ended going into Pusan, South Korea, we were moored off the harbor for four days. That's because it was packed with freighters and military ships from the U.S., South Korea and other ports around the world.

The dock and the city were overflowing with war refugees and homeless from the just concluded war. North and South Koreans had been displaced from their war-torn regions. I certainly wasn't in Kansas anymore, to use the old Wizard of Oz expression.

People were living without tents or bungalows. It was a place without homes. Still to the refuges it was a final haven. To get out of North Korea at that time would have required extraordinary feats.

It was a result of General Douglas McArthur's Inchon landing and cutting the Peninsula in half at the 38th parallel thus moving South. So the North Koreans and Chinese fighters south of the 38th parallel couldn't return to North Korea. Numerous armed skirmishes resulted when they tried.

I first learned the fear of homelessness at this time. Initially we lived in temporary housing for refugees for a short time. Then we were fortunate enough to stay with my uncle on my mother's side, Mr. Minn Byung Do, at his house. He took us from refugee housing and homelessness into their home and shared all they had with us. There were 15 of us living there mostly relatives and friends. We did pay rent to my uncle.

A few weeks after arriving in Pusan, we realized all our families were displaced. Some of those in my mother's family were relocated, but my father's family was not in Pusan. We searched desperately, we know how, like any other displaced families. We heard some refugees were held at Taegu, some 80 miles away, and some further north at Osan, 30 miles from Seoul and about 250 miles north from Pusan.

Some did not make it out of Seoul after the Inchon landing. These refugees were trapped between Seoul and Pusan and vulnerable to North Korean and Chinese guerillas.

While we were searching for anyone from my family, my father heard a bit of news, that many military personnel were held at Sa Cheon Air Force Base, held by the Allied Forces. We learned my father's younger brother, Sung Whan Chang, had joined the South Korean Air Force, and was flying fighter planes.

Before WWII, as a personal hobby he did some work with gliders. After World War II he became a building contractor for the Allied Command, reconstructing and rebuilding houses and commercial building. We did not know about his military rank and responsibilities during the Korean War.

We met at Sa Cheon Air Force Base after traveling a full day to travel just 30 miles. This is because the muddy dusty roads were terrible, as was the dilapidated bus. We were met by air base security and detained (No big deal to me; I was very accustomed to being detained, as was my family). My uncle, came to greet us at the main gate.

My father and my uncle shared emotional moments together, with my uncle covering his emotion as to not show it in front of the other military personnel. It was a moment I will not forget; we found a family member, alive!

We went to his quarters and we must have spoken for hours. My father and Uncle spoke about other members of the displaced family; my father shared the sad event of leaving their younger sister Lesa alone back in the U.S., and they were concerned about her.

By this time my uncle began to bring my father up to date. My uncle having a little experience with gliders, joined the air force a few days after the war broke out and he became one of the first 10 pilots to be sent to Japan to pick up first 10 P-51's.

Now get this; they were trained in only four days on flying P-51 Mustang propeller airplanes and then entered battle! Sadly and predictably, the first month four of those original pilots were killed in action. They were shot down by Mig 15's, known to be piloted by experience fighter pilots. What chance did they have?

North American's P-51 Mustang was recognized as the best all-around fighter plane of World War II. The great aviator and fighter pilot Chuck Yeager flew a P-51B in that war.

My uncle though, managed amazingly to dogfight with Mig15's with his propeller airplane. Very few pilots are capable of that. Sa Cheon Air Base housed Joint Allied Forces in South Korea. My father and Uncle were concerned about their young sister's welfare in America. After few wonderful days, we were back to Pusan and refugee status.

I do recall the inferiority complex that had been with me all these years in the US, wasn't there anymore. In fact, it was the opposite. For one thing, now I could speak some English. This was a very empowering thing for me, because no one spoke English.

Speaking English was at a premium because the U.S. military needed interpreters. Even those people making money as interpreters knew less English than I did. Even broken English was considered gold. I even was offered a job as an interpreter.

But I didn't take it as I was a kid who needed education, not a job, but it further added to my self-worth. Even if I had taken it, my father, with his emphasis on education, would have put his foot down and said no in English or Korean, which ever language was necessary to get this point across.

I was very fortunate to get into Kyunggi Junior High, two

Kyunggi Junior High 54th class. Photo taken at Pusan in 1953.

months after arriving in Pusan. And the irony; I got in because of the English that I did speak! The school gave me a test in English. I didn't really realize how much English I spoke and understood until I got back to Korea. What had been a weakness was now a strength.

My new school was a collection of temporary olive green tents, around 20 in all. Tents are tents, not structures. When it rained for example, it became difficult to see the black board through the mist and rain.

My home room teacher, Mr. Park Sang Oak, who was a famous contemporary artist, became another mentor. He was also a close friend of my mother's brother. Park Sang Oak taught me much, including sharing his knowledge in Korean works of art. Perhaps now, for the first time in my life, I had an interest other than mere survival. It's been an interest I pursued — learning about Korean works of art throughout my adult life.

The year and a half we'd spent in war-torn Pusan gave me some understanding of who I am and more importantly, where I was going.

Not a day went by without me thinking about my experiences in the U.S. My linage was Korean, but I was now Americanized, even though my time in the United States had certainly been a challenge.

In my spare time I enjoyed going to the local US Military Compound, near Song Do Beach area.

I was able to now get to taste the food I enjoyed in America. My English began to soar even more. I was somewhat close in age to a lot of the soldiers, who were still only 18 or 19, so there was a comradely between me and them. In addition I had a common ground with them having just come from states. I didn't know how well I was conserving in English with my American friends.

The last family photo taken together in Seoul Korea, 1957.

In Pusan, things again were about survival as I said. It was a new experience for me, far different than in America. In America, even conscripted into farm life, you had three meals a day and slept well in bed or in a bunk. The "next day," was always a given in US.

After a year and a half in Pusan, by 1954 it was finally feasible to travel to Seoul by train. My father owned a house there. I had graduated from Kyunggi Junior High in 1954 so off we went.

After the rail service opened, we took the 6th train destined for Seoul. This route had been closed since 1950. That train ride to Seoul was really horrifying. From the window we saw atrocities. They were the result of communist guerillas called Palchisan, trapped south of the 38th parallel. They were fighting in the mountains and made their presence known with machine gun fire and dead bodies as a result.

Arriving in Seoul I took notice of how flat the city was from the ground and air bombardment during the fighting.

It looked like Hiroshima or Nagasaki, only it was not the result of an atomic bomb.

In Seoul, even after the armistice, there was still an unbelievable amount of danger. Besides the isolated Palchisan guerilla fighting, there were booby traps to contend with. Before the North Koreans left the city they said in effect the hell with anyone else, so you don't know what to touch, especially in the mountains and rice fields. A big and scary danger was land mines. I'd often see military land mine sweepers clearing what would be safe paths for us to walk.

In commemoration of the 34th Korean Judo Association Ceremony photo, 1955.

My dad now had a job as an interpreter. My mom stayed home to take care of me and my brothers at first, but then worked as an assistant mess hall cook at the US Army HQ in Seoul. As she put it being around the kitchen had "a delightful aroma, what a heavenly taste of American food and people!"

One of the first things I made a point to do in Seoul was learn Tae Kwon Do. I thought of my mother being harassed on the farms and never wanted to feel so unprepared again as a protector of her or anyone I loved. Initially I began with Judo and Tae Kwon Do at a later date, this provided me with a greater understading and respect for Martial Arts.

Learning Tae Kwon Do further helped my confidence. I found I was good at something else and that carries over to every aspect of my life. By the time I was 17, I received my black belt in the discipline.

I went to Kyunggi High School, was another tented one, also called Kyunggi. As all high schools were also in South Korea at that time, it was a par military one, like a military academy. We were being groomed as the last line of defense.

My interest to take Tae Kwon Do, my interest's in Korean traditional art, paintings, ceramics, etc., continued to grow and led me to study Korean history.

Integrated but not Assimilated Again

I was now in the reverse of my initial experience in America; I was in my birthplace, but I wasn't home. I missed America. I missed little things, like going to the movies and seeing Hopalong Cassidy, The Lone Ranger, Abbott and Costello, etc. I missed eating hot dogs, and most of all I missed Los Angeles. I didn't realize when I left America how much I'd miss it.

My father said many times we were hoping and praying to return to the United States. What gave me additional hope and confidence was that he had left his extensive art collection with Mr. Song in Los Angeles.

Finally, like a dream come true, my father told us we were, in fact, returning to Los Angeles! He'd received the first ever formally issued family immigration visa by the American Embassy!

We were flying back, home

CHAPTER FOUR

Back Home to America and Flying

My dad was so meticulous about education that he planned our return to America so me and my brothers would arrive before a new school semester started.

Dad immediately went to work for the Los Angeles Metropolitan Transit Authority (MTA) as a mechanic. He'd taken engineering classes at USC at night during our initial time in Los Angeles. He worked at MTA until his passing at age 80.

My mother was now working too. Within a couple of months of our return she got a job at the cheese factory. Unfortunately 2 years later the factory closed. She then studied to become a cosmetologist, a career she had before retiring at age 80.

I didn't waste much time as I enrolled in summer school at LA High School preparing for the new semester. For the first time in my life I felt confident, my head held up high, as I walked into my first class. I took first place in student congress at Los Angeles City Hall that same year.

I immediately connected with my English Speech class teacher, Mrs. Mary Synider. She taught me what English was all about. I had learned functionality, but she helped me understand how to be truly conversational in English. Within one year at LA High, I was so interested in the English class I managed to win in the speech contest at UCLA, and represented California at the

National Forensic League held at Sioux Falls, South Dakota. What an honor! That was a long way from being the kid who was dropped into school not being able to speak English at all.

My speech was titled "What is Right with America." Now, given what I'd been through during my first go around in the United States, some might wonder why I choose that title and theme. Well, it's important to remember I'd not only been through living in the United States, but also living in war-torn South Korea. The shuffling and ping ponging between the U.S. and South Korea gave me something to compare and contrast.

In the United States, simply put, you had democracy in action.

A local newspaper article at the time wrote that I had a simple opportunity to compare the American way of life with countries abroad, especially in war-torn Korea…Chester's speech challenges Americans to encourage and strengthen the world by sharing their most precious gift, freedom.

I believe that America is the hope of the world, Chester went on. "For that reason, we haven't the right to let other countries watch and envy our great freedom."

Neither does it give people in slavery the right to ask that we lose that freedom.

The article went on to say in my speech "Chester tries to show that with the victory of freedom over tyranny what's right with America will someday be right with the world."

My one year at LA High was brief, but fulfilling. I was back home in the United States. Now it was on to college, at University of Southern California(USC). My major was International Relations and my world was just studying and adjusting to my new environment.

I felt like I fitted in well. I spent much time at the ROTC classes and other electives.

Up In the Air

When I was 18 I finally started to fulfill my dreams of aviation. I took flying lessons at a flight school in Hawthorne Ca. I paid for them initially from the money my father had saved for me during my migrant farm worker days. We were paid no salary during that time to my family as the whole. I took pride in being the most productive farmworker there, producing more than mom and dad and bringing in money to our family. Money was paid daily based on production, meaning the more your picked, the more you got paid.

Once that money ran out, I paid for my flying lessons by pumping gas for the flight school, meaning re-fueling the airplanes. Now this isn't like pumping gas for a car. It can be very dangerous and you have to be specially trained on how to do it. If you're not, and if the plane isn't technically "grounded" there can be an explosion.

Another way I also paid for my flying lesson was by washing airplanes, something else that's not as simple as it sounds. This too can be dangerous, i.e. you may accidently push or pull wrong controls. I have reached my solo flight. This was after 14 hours of instructions recurred, and lot of practice.

USC ROTC class photo taken with actress Sandra Dee in 1960.

At 18 I soloed and became a pilot. When I eventually accumulated more than 50 training hours I became an FAA licensed private pilot. I was at the first level, which meant no compensation for hire.

I couldn't be paid for carrying passengers, cargo, nothing at all. But a subtle distinction, I could carry passengers, cargo, etc. just not be paid for doing so.

I also managed to be one of the few that made the pilot cut in my ROTC training, so now we were selected for introduction to the pilot program.

Since I already held an FAA Pilot certificate, I could now make my way around the aviation world even better.

I was spending much time at Los Alameda Naval Air Station flying with Lt. Cdr. Lockoco. As the pilot in command, he was in the customary left seat and me, the pupil, in the right one. This was around 1959-1960.

We were flying a twin-engine D18, Navy SNB-5 airplane with Lt. Cdr. Lockoco. He had me do most of the flying. That's the name of the game especially when starting out: learning, gaining experience. That means getting your hands on the controls.

As the U.S. became more involved in Vietnam pre-war, the military was recruiting on campuses as were other governmental agencies.

Some government agencies like in particular the CIA, and all the military branches. Offered to sign you up without a degree after three years of college. Then after completion you'd receive tuition to complete your degree and pursue a graduate degree. Working for the CIA actually sounded pretty good to me but I opted to stay in school.

Then The Other Shoe Dropped

Everything was moving along. I was happy and fulfilled. Then out of nowhere, a bombshell: my parents told us they were divorcing. My world came to a screeching halt.

It was the most devastating thing that ever happened to my life. I can't articulate exactly why, as I was an adult and should have been able to process it. Perhaps it was because we as a family had overcome so much together, and then this, the breakup of my family. Perhaps it was because I never saw my parents argue.

There was nothing leading up to this that even led me to think a divorce was possible. It came completely out of the blue to me.

Suddenly nothing meant much to me; school, social life, any other interests. Even my interest in aviation dipped for a while, but it was really academically where I really suffered the most.

What was interesting was my two younger brothers went on without too much difficulty. In my military science class at USC, I became friends with Jack Seymore, an ROTC classmate, who had access to his father's ER Coupe airplane which we called a "no rudder pedal airplane." It was hangered at Brackett Field, near La Verne, where Jack's family lived, and we had cart blanche to use it. Every weekend, we were in the air getting flying experience.

My interest in aviation may have dipped after my parents announced their divorce plans, but my passion for flying would always return me to the cockpit. Through the ROTC with my Los Alameda-to-Treasure Island round robin military station flights, my aviation career was taking off and looked promising.

It was in my 3rd year at USC, at my junior year, my lack of interest in school caught up to me and my grades suffered. Suddenly my options with the U.S. government looked attractive. I joined the US Army Reserve in 1961 and was in training for six months. I was honorably discharged from the Reserves in 1969.

CHAPTER FIVE

My Career Takes Off

In 1962 I landed a job with Gunnel Aviation, working out of the Santa Monica Airport. My job was sales, demonstration flights and to assist in ferrying sold aircrafts all over the Western States to customers.

During my time with Gunnel I began to understand the type of aviation career I wanted appeared to be only for the non-colored, at least in the United States. From time to time I'd see people of color working as mechanics, but not in the cockpit.

Nonetheless hoping for an airline pilot job, I applied to Northwest Airlines. I was denied, the letter stating I did not meet the height requirements of 5'9." I'm 5'9," yet Jack, who was even a little shorter than me, was accepted.

Being a young man, I also took time out to get married in 1966. The union produced a daughter and within four years, a divorce. I was away all the time due to my job, and my wife found someone else. It happens. Oddly enough, my marriage ending didn't bother me as much as my parents' divorce. Another go figure moment.

Steward-Davis

As far as my career trajectory, fate intervened when I was

delivering an airplane to Steward-Davis Aviation, at the Long Beach Airport in Southern California.

There were many aircrafts in the property for delivery all over the world.

Steward-Davis is known for their C-82 Fairchild, nicknamed the Flying Boxcar. It's a massive transport plane that can carry tanks and troops. It's among other aircraft they owned and modified for delivery to customers.

They also sold aeronautical products such as needed components. The one thing that Steward-Davis did manufacture was airplane engines.

I wound up getting my job and opportunity when I met Mr. Herb Steward, one of the owners. Mr. Steward was very interested in my cultural experience as far as living in the Far East. He eventually offered my job with Steward-Davis in September of 1967.

It was the same one essentially I had at Gunnel, but now I'd be traveling internationally. I worked with a team ferrying commercial aircraft to Steward-Davis customers in Asia,

My title was aviation support and I was also in charge of providing flight instruction to our customers. I now had a commercial pilot certificate. To earn one you must pass the FAA written test, meet flight time requirements, and then have an oral and actual cockpit flight check with an FAA Designation Pilot Examine (DPE).

Among the things a DPE will do during the actual flight

check, is test for potential emergencies. The DPE might say for example during the flight, "ok, your left engine is out, what are you going to do?"

The delivery routes for the Steward-Davis planes really gave me a chance to see the world. Get this: we delivered to Asia via Sondrestrom Air Base Greenland, Reykjavik Iceland, Rome Italy, Nicosia Cyprus, Tehran Iran, Karachi Pakistan, the Himalayas, Saigon Vietnam, and other points such as Taiwan, Korea, and Japan.

Not exactly one's run of the mill commute of seeing the same crowded freeway route every day. For me, it's another reason I loved aviation.

Citizenship

In 1964, after all I'd been through, I was no longer an outsider: I became a United States citizen. It was a very proud moment for me. I now belonged. It was a long way from that kid who came to the United States and sat in a classroom of Caucasians unable to converse with them in English.

From 1965 to 1970 I was based out of Honolulu, Hawaii and working with Steward-Davis. I was helping Aloha Airlines procure the necessary spare parts for their two Viscount airplanes. Steward-Davis had Viscounts and had extra spare parts.

I was then sent to Japan by Steward-Davis to work with that country's air defense forces. Japan had several Lockheed P2V Neptune aircraft, which are anti-submarine ones. This of course fit in with Japan's self-defense posture necessitated after the second World War.

In addition Westinghouse J34 jet engines, owned by Steward-Davis, were added to the P2V Neptune's to increase their performance. I was in charge of acquisition and coordination between Japan Air Self Defense Forces (JASDF) and Steward-Davis.

I also assisted in helping them to understand and use the engines' operating manual. This was very important and far more than just a reference guide.

Steward-Davis was truly a global transnational aviation organization. Among my other duties with them at that time was adding J34's jet engines to the C-82 Flying Boxcar, the C-82 jetpack and C-119's jetpack, in the same manner I did for the Japanese Defense Forces.

Steward-Davis also supplied the U.S. military, domestic

Steward-Davis
Circa 1974

airlines and manufacturers and the foreign military, such as the Japanese. We tried to make it a turnkey operation for our clients.

The C-82's were being delivered globally, especially to South America and India. I was part of that also, in the ferrying of the aircraft. Indian Air force had over 60 C-82's supplied by Steward Davis with jetpack.

Fuji Heavy Industry wanted to export aircraft to the U.S., specifically their newly built FA 100 and FA 200. That's where me and Steward-Davis came in again, providing feasibility studies and certifying flight test safety standards, and working with Fuji pilots.

This project was Mr. Steward's pet project, as Fuji Industries is like General Motors in terms of size of scope. I flew for analysis of the airplane for market feasibility flights were made at the Chofu Air Port just south of Tokyo. Marubeni Ida was representing Steward- Davis in Japan. Marubeni Ida was also the representative for Lockheed, L 1011, TriStar sale to All Nippon Airline (ANA).

The People's Republic of China was interested in purchasing Boeing T-50, T-502 and Westinghouse J34 engines, through the China Resource Company in Hong Kong. I'm not certain if that ever happened or not.

Air America

Air America museum at University of Texas, Dallas McDermott Library.

Before we go on let me tell you about Air America and give you some context about it and how it plays a part in my story. As viewed, a memorial tablet for those pilots that made the ultimate sacrifice.

In the book "Warrior Culture of the U.S. Marines," by Marion Sturkey, he says at one time Air America, owned by the C.I.A., was the largest "airline" in the world. The fact has been repeated often, although the exact number is unclear.

Air America's roots go back to before World War II. General Claire Chennault led the American Volunteer Group in China, where his pilots flew P-40 fighters against the Japanese Air Force.

It eventually became known as Civil Air Transport and in 1953 it was re-named Air Asia and became a C.I.A. owned private airline, based in Taiwan. Air Asia was the holding company, underneath it better-known name as Air America, and as Southern Air Transport, Civil Air Transport, and Air Asia Ltd. It had two purposes: first, Air America flew secret intelligence missions. Second, it delivered supplies to anti-Communist fighters in parts of Southeast Asia. This was being done initially during a time when the U.S. was stating publicly it was not involved in the Vietnam conflict.

For example, a few days before his assassination, President John F. Kennedy sat down with Walter Cronkite and said ultimately the war was in the South Vietnamese' hands, it was their war and not ours. President Lyndon Johnson would say the same thing during the 1964 campaign.

But even before the Gulf of Tonkin incident in 1965 that led to the

Saigon in 1968 with interpreter Mr. Tran.

Vietnam War, there were covert ways to give a helping hand to anti-communists supporters. Hence the front, Air America, was disguised as a private airline company.

Mr. Hugh Grundy

Mr. Hugh Grundy was the president of Air America from the 1950's to the 1970's. To the outside world, he was tasked with running a profitable private airline. But in reality, he was running it to support the classified C.I.A. missions. This part of Air America was so secretive that even Grundy's wife didn't know about the dangers and covert nature of his job until the C.I.A. honored him in 2001, some 30 years after his retirement.

Hugh Grundy was a gentleman. He was tall, conveyed governmental authority yet at the same time Hugh was one of the most laid-back people and leaders. He was energetic and a very introspective person. When he made a decision he thought about other areas and saw the big picture.

He also cared for people and their welfare.

Remember a lot of those pilots were risking their freedom and lives. I don't know of another person who could have filled that spot so perfectly. My personal feeling is they selected the best man for that job, that operation, in Mr. Hugh Grundy. He enjoyed being chauffeured around in his air conditioned Chevrolet. I also enjoyed the ride when Taipei was hot and muggy.

The motto of Air America was "Anything, Anytime, Anywhere."

"Air America pilots were known for their sense of adventure and daredevil talent, often risking equipment and life to covertly transport supplies and information throughout this region until the U.S. became officially involved in the Vietnam Conflict in 1965," wrote the Kentucky Historical Society.

There was something else about these aggressive Air America military pilots: they were often "sheep dipped."

"Sheep dipped" is a term used in intelligence circles. It means a person has been provided with an alternate identity. Just as dipping a sheep in a lake or river helps rid it of bugs and other pests, when a person is figuratively "sheep dipped," all traces of their identity vanish and a new one emerges.

In the military this is said to allow soldiers to pose as civilians during a covert operations. A "civilian" on a covert operation who is captured by a foreign government is generally not as treated as harshly as a member of the military. This is what happened to U2 pilot Francis Gary Powers, a former air force captain who was a civilian when his U2, which in reality was a CIA spy plane, was shot down over Soviet air space in 1960 and he was captured.

While it was a complicated international incident, Powers was convicted of espionage but did not receive a death sentence. The fact that he was a civilian likely helped with that. He was returned to the United States in 1962.

Despite how much I had on my plate, Mr. Stewart had me meet with Mr. Hugh Grundy. The meeting was in Taiwan, to support Air America with the PBY Catalina Sea Plane based in Tinan, south western part of Taiwan. Mr. Stewart mentioned I was the best person for the job, since I held an FAA multi-engine sea plane rating and I was located close to Taiwan. So now my work spread from Japan, Taiwan, South Korea, and South East Asia. This was a foreshadowing of Pilot Examiner Designation to be bestowed upon me by the FAA.

Many of the pilots I worked with were "sheep-dipped" ones pursuing FAA commercial certificates which I issued.

If U.S. government didn't have an examiner like me in that region, it would have cost much more to get these pilots to the U.S. for training and certification.

I accepted the designation to cover the geographical area same I held for Steward- Davis Aviation.

Between 1967 and 1969, my work with Air America and its sister company, Air Asia involved several projects. For example, the aforementioned PBY Catalina Amphibious Aircraft was used by Air America for flight surveillance to Eastern China at night, based in Tainan at Air Asia facilities. The PBY was unique and capable for the job; it could fly off the ground at an airfield and land on water at night and fly back to land on an airport. It did this along the South China Sea coast at that time.

Steward-Davis was supporting the aircraft technology, modification and in ferrying it back to the U.S.

In 1969, the PBY was flown back to Steward-Davis in Long Beach to perform another unique operation: fighting forest and brush fires in California. The aircraft skims a lake a quick scoop of water without landing, and then flies to destinations to suppress fires with it. I held a very rare multi-engine sea plane rating.

I remember with the PBY Hugh Grundy was very concerned about where it should be, where it should go next. He was pleased with the decision that was made, as it could do the most good to help people.

As a footnote and a point of interest, there were many advanced projects at Steward-Davis that was way out of the aviation world so to speak. They also made special aircraft for feature films such as the Flight of the Phoenix C-82, Tora! Tora! Tora! PBY and Con Air using Stewart Davis C-82 jet pack.

A Close Call

Remember I told you among my delivery routes for Steward-Davis was flying over the Himalayas. One of my most "interesting" moments came when I was flying a specially-built and modified Aero Turbo Command 681 over that mountain range in 1970.

I took off from Karachi, Pakistan and flew along the southern borders of the countries of Nepal and Bhutan.

I noticed I was building ice on my leading edge of my wings and was not able to counteract that. The airplane's de-icing function was having no effect. So, I requested a lower altitude. You see, at 30,000 feet the temperature outside is about minus-40 degrees. So when you drop down in altitude, it gets warm and the ice should melt. I was fortunate that accumulated ice started to separate.

I had lost 10,000 feet of altitude. The Himalaya mountains are known for their uneven peaks at the altitude I now was leveled off. With my landing lights which I turned on during my descent the peaks look mighty close, I mean mighty close. I was essentially flying at the same altitude as some of the lower mountains in the Himalayas. Now I had to be very careful or I could crash into one of them.

To get the separating ice completely off the plane though, you still have to maneuver the plane side to side so the ice slide off. All of this with those giant peaks starring at you!

The other problem was, as this was the Vietnam War era, I was now low enough and close enough to Burma Airspace where I could be shot down. But if I don't remove ice, I can't maintain altitude. With no lift, the plane can stall and I could crash. So I had to take the lesser of two evils.

Now, as if that wasn't enough, I get a call from the U. S. Military Airport Operational Center at Saigon diverting me from my Da Nang destination to Saigon. Saigon? that adds another 350 miles to my trip. Do I even have the fuel for that? I was pretty mad.

I made it to Saigon, grabbed some coffee and let the commander of flight operations, a U.S. Air Force captiain, really have it. Then I learned why I was diverted, Da Nang was going to be under heavy bombardment by the North Vietnamese precisely when I was to land. They hadn't wanted to tell me that because we were on an open frequency. If I'd have flown into Da Nang, I might not be writing this book.

CHAPTER SEVEN

Korea Calls

While I was in South East Asia with Steward-Davis, Mr. Cho Choong Hoon, then the President of Korean Airlines contacted me and proposed I work with him. He recently acquired the airline from the South Korean Government through privatization.

He was looking for a person to assist him in pilot development, key to Mr. Cho's manifesto to go global other than what KAL already was servicing in Asia. I was made for the spot, having the technical and actual real world experience. I held all the required credentials. I was already an FAA ATP airline transport pilot. I was the only pilot in the business who spoke both English and Korean fluently. I asked my boss, Mr. Steward, for his thoughts on me leaving for a year or two. He thought it would be a win-win deal for all in order to further Steward-Davis

In Anchorage Alaska during refueling stop with flight engineer Mr. Ra Won Mok in 1971.

Aviation in Korea.

So from 1971-73 I was with Korean Airlines as a captain and flight Instructor. After my work with Korean Airlines was completed, I returned to Steward – Davis as their Vice President of Far East Operations.

During my tenure with KAL, I worked with 15 senior captains to receive their US FAA Airline Transport Pilot (ATP). KAL became the first foreign airline to have US FAA certified captains. The captains holding FAA ATP were assigned to newly leased B 707 with N number. At the end of my contract with KAL, a maiden flight was made . The flight was from Seoul, Tokyo, Anchorage, to Los Angeles and return via same reverse route. I and 5 other pilots made the maiden flight.The receiption at the Los Angeles Airport was overwhelmng with Korean and other residents. This Maiden flight was Mr. Cho Choong Hoon' s dream come true... it happened, looking back 50 years later, we can say it is " done".

Keep in mind, the B 707 was leased from U. S., without change of registration to HL, (Korean registry). Thus, the aircraft must be operated by US FAA certified pilots and standards. Mr. Cho and I knew from day one, this was a task and a half... now it' s history.

I first came to the attention of the FAA because of my experience, both aeronautic knowledge and credentials, including even glider and balloon experience. The FAA reached out to me to become a Designated Pilot Examiner. The FAA carefully selects DPE's and it's by invitation only and need.

So that's how I came to representing the FAA as a DPE, Far

East Asia. This encompassed Japan, Korea, Taiwan, Hong Kong and Southeast Asia. At that time there was only six FAA DPE's abroad: two in South America, two in Europe, one in North Africa, and myself in Asia.

I was with the FAA, as a designated contractor for the U.S. Government. I did have to go through three months of field training in Tokyo.

Among my duties for the FAA was taking applications from people who wanted to be pilots and testing them to be credentialed at the various levels. This was also a source of supply pilots to Air America. My association with the FAA during this point of my career lasted from 1972-75. And many of the pilots I worked with were "sheep-dipped" for Air America, ones pursing FAA commercial certificates which I issued. A good description of what I did as a DPE was given in Stars & Stirpes newspaper in Feb. 1973:

"Three members of the Kunsan Aero Club were `put to the test'...subjected to the Final FAA certification check ride. The flight included many questions about the airplane, proficiency checks on landings and takeoffs, as well as cross-country check rides.

The examiner also made sure the pilots were capable of handling emergency situations...they were examined by Chester Chang, an FAA designation flight examiner for the area. Chang also holds many aero ratings and is capable of administrating flight checks for almost any type of rating."

Then in September of 1975, I began working for the U.S. Army Communication Command. I was based in Seoul and had the title of Aviation Air Traffic Advisor. I guess you could say it was a triumphant return home from where I'd been in 1969. The position lasted until February 1976.

Here's some aircraft trivia if you ever find yourself in need of it, like on Jeopardy, and some context: All tail-numbers for US Register aircraft starts with "N," which stands for US. In 1975 FAA Academy operated over 100 aircraft for training pilots for over 60 nations for their aviation authorities around the globe, not to mention our domestic requirements.

Those were the fine days, over 40 years ago. Certainly, my aviation career has been divine.

CHAPTER EIGHT

The Crowning Achievement: Joining The FAA

All of my work experience and the expertise I had developed resulted in a most important moment in my career: I was finally officially hired by the FAA full time in March of 1976, with the title of General Aviation Inspector.

It was long part of my dream to be hired by the FAA. Especially when Vietnam War was over in April 1975, what a timely transition! The first three years are a probationary period and they can kick you out at any time for failure to measure up. You're sent for training and education to the FAA Academy in Oklahoma City. It's like a West Point for FAA personnel.

In my class, some 25% of the hires didn't cut it and were released from the academy before field training. Training is mixed with classes and flying. You fly all kinds of aircraft, from propeller to big jet transports. When flying jet transport airplanes, we flew 3 positions; captain, co – pilot, and flight engineer. Thus, get to fly all 3 positions.

Now during that three year training, you're not based solely in Oklahoma City during that entire time. There's a 2 year period where you're trained in a field office. My field office training took place in Fairbanks, Alaska. For those in my class who made it to field training, another 20% of those were eventually released, to

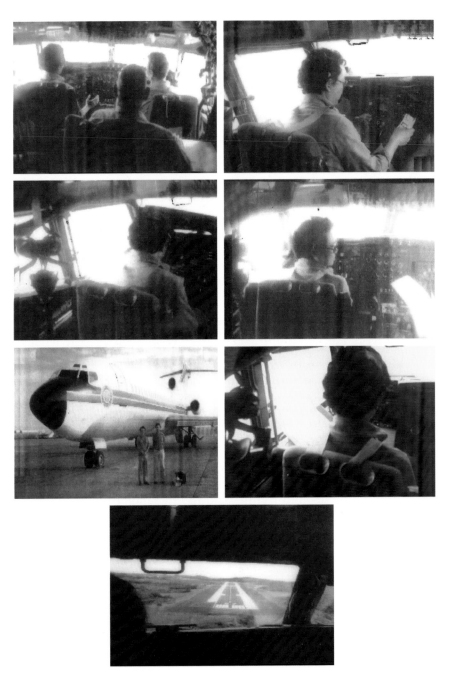

FAA, B727, N27, and B707, N113. During flights in Oklahoma.

different parts of the FAA.

I thought field training in Alaska was great, an opportunity to add to my global flying experience with this frigid polar region.

North to Alaska

After landing a taxi waiting.	Working with Wein Alaska Airlines at Point Barrow, Alaska in 1977.

I never absorbed the magnitude of the size of Alaska until I was asked to fly it.

After around three months my boss in Alaska came to me one day and noted that I was qualified to fly in short field take-offs and landings (STOL) — meaning on water and land. I also knew how to fly with airplanes outfitted with winter skis due to the snow and ice. So overall I had pretty good expertise in amphibious airplanes. In addition he said, since I was single, I was suited for the travel he had in mind for me, since I had more time than a married man.

To cover our geographical area of responsibility, my boss said, someone had to make the following trip every two weeks, which was about 2,600 miles per trips.

FAA Boeing 707, N113 and B727, N27 were used for international training flights.

I had to take off from Fairbanks, making my way to Ruby, Galena, and Bethel, in Alaska of course. In the evening I landed in Nome. In the morning it was off to Shishmaref, Kotzebue and Barrow. At Barrow I visited the artic US Navy Research Center, who was there for oil exploration.

The Navy had FAA needs too; certifying their pilots to operate N US registered aircraft.

My job in Alaska and during my trek was to handle anything FAA related. You're the FAA's representative in the field in this kind of job. I had to do things such as re-certificate pilots and airplanes, accident investigation, aviation violation and do lots of paperwork. Many of these places were remote outposts, and I often had to stay in Quonset huts, sort of like man-made prefabricated igloos, during my time there. You didn't find many motels outside of Fairbanks and Nome, at least with respect to the places I was responsible for.

Was flying in those conditions dangerous? They certainly can be. I took great pride in being so diverse in my aviation experience.

I didn't know how much I really did know until I was given that assignment. I guess my boss did.

I take pride in bush flying, which means knowing how to take off on a short field, and landing on water. My experience with Steward-Davis' PBY twin engine amphibious airplane certainly came in handy.

After the three years of training, you can request the field offices you'd most to work at, and if there's an opening the FAA will accommodate you.

My first choice was Seattle, primarily because it gave me the opportunity to build on my Boeing aircraft flying experience. I was based there for one year. My title out of FAA training was an Aviation Inspector. While in Seattle from 1977-79, I was promoted to Air Carrier Operations Inspector.

Marriage Again

In 1979, I yearned to give marriage another try. This time my goal was to be married 40 years or more, instead of my previous four. I'd been officially single for some eight years at that time.

I have been single for 8 years when I met my future wife in Seoul, just few months before my work with KAL completed, in 1972. It was a most unusual chance meeting. Every marriage has a tale to tell, but ours, it beats the cake.

My future wife, born in Seoul as Kim Won Oak, actually picked me! She was having lunch with her father and mother, celebrating her acceptance to Ewha Woman's University. This was in Seoul, at the Chosun Hotel. I was on my way out of the restaurant when I saw her father and said hello to him.

Her father was one of the senior KAL captains and former KAL chief pilot, and one of my students. I didn't even notice my future wife was sitting there. In another coincidence, it turns out she was born in December 1953 at the same Sa Cheon Air Base in South Korea where I was visiting my uncle. Not just the same year and place, but month! Seems like it was just meant to be.

Her father at that time was the base executive officer and a junior officer to my uncle. How much more bizarre can you get? To make a long courtship story short while I was serving my three year FAA probationary period, she got hold of my address and wrote me two to three letters a month.

These were the most romantic letters, and during this interlude she was hired by KAL as stewardess and her stops included Anchorage, Alaska. I would fly down to Anchorage and meet her. By the time I was transferred to Seattle, we were ready to get married. I proposed, and she was, I think expecting it. She said "yes" but her family was a decisive "no." They vehemently opposed the marriage. The reason? It was a litany of objections: I was too old for her, I was once married, among other things. And it did get nasty as Wanda was ready to be kicked out from her home.

Thankfully, my older cousin on my father's side, Myung Ae Shin, was able to help make the wedding and marriage possible. She's my father's older sister's daughter.

Myung is and was for me, persistent. She has ways of persuasion and spoke with Wanda's mother on my behalf, a woman to woman thing you might say.

With my cousin's power of persuasion, and her determination, she was able to keep the lid on everything until my arrival in Seoul. Without her commitment we may not be married. We owe a debt of gratitude. Myung is still with us, around age 85.

I flew to Seoul and got married in March of 1979 at the American Embassy in Korea. My wife changed her name to Wanda in Seattle. The Americanization of the Chang family continued.

She joined me in Seattle later that year and our first son was conceived there. We went on to have two sons, Chester Clarence Chang, and Cameron Casey Chang.

Wanda received her US Citizenship, US personal passport, and an US official passport while we were in Seattle. All required documents for my wife was expedited in two weeks because of my government status. We were in McCord Air Base, Seattle, and flew to Osan Air Base, Korea— on a C141 Star Lifter. That plane is not comfortable as a passenger airplane, it's a cargo plane and the "amenities" for passengers were metal bench seats. Not ideal for Wanda, who was 4 months pregnant. I was the last one to the party,

During flight over Inchon Korea, Circa 1979, with Wanda, Clarence on his 100 day birthday.

During a site visit: Col. Kim commander of the base and
US Army counterpart and me.

meaning this assignment, everyone else was already there except me.

My life had changed within six months. I got married, had a son on the way; my wife was US Citizen, things were moving fast. From August of 1979 to February of 1980, I transferred from the FAA to the Department of Defense. I was again an FAA Designated Pilot Examiner, Far East Asia, again with the areas of responsibility being Japan, Korea, Taiwan and Hong Kong. Concurrently I was back with the U.S. Dept. of Defense as an Aviation Advisor/ Plan Officer, based in South Korea, also representing the FAA Administrator as a DPE. I did both jobs, rare stuff. Transferred from FAA to DOD US Army Communication Command (USACC), during that time separating from FAA, still mainting DPE status.

During this time I'm proud to say I earned a Certificate of Appreciation signed by the Commander United States Forces Korea, Gen. John W. Vessy Jr. The citation reads:

"Mister Chang Distinguished Himself By Outstanding Achievement In The Perforance Of His Duties During The Preparation Of The Telecommunications Plan For The Imporvement Of Communications In Korea From 26 July 1978 To 26 October 1978. This Vitally Needed Document Has Become The Single Integrated Telecommunications Plan For All Future Improvements To The Communications For Command, Control, And Intelligence In Korea. His Distinguished Performance Of Duty Is Appreciated And Reflects Great Credit Upon Him, The Untied States Army Communication Command, And The Military Services.

Back In August 1978 I was asked by a friend at the U.S. Dept. of Defense to entertain the idea of being in South Korea for a couple of years. President Jimmy Carter has plans of removing all the US troops out of there and the government needed a study on this, which I was part of.

My areas of responsibilities were air traffic control and aviation related US military assets. I was there to identify and study air traffic

Freedom Bridge in Seoul Korea near the DMZ, with two co-workers (Major and LT Colonel) in 1979

Hawaiian Airlines DC-10 over
The Pacific, training flight.

Braniff Airline B747 carrying
refugees to America.

control assets for the purpose of Command, Control, Communication and Intelligence.

From February 1980 to June of that year, Aviation Advisor.

From June of 1980 to July 81, I was based at the U.S. Embassy in Tokyo.

From February of 1982 until June 1982, I was temporally based in the South East Asia International Field office, with the title of Principle Advisor. I then became Manager, South Asia International Field Office, Guam from June 1982 until October 1983.

Profound Journey

One of my most profound, emotional memories for me took place in 1983. I was asked by FAA headquarters in Washington D.C. to fly Vietnam refugees, call "boat people" from Guam to Los Angeles International Airport (LAX), direct, meaning no stops in between. The mode of transportation was a Braniff Airlines B-747, chartered by the US government.

The normal recommended route for such a flight would be

with stops in Honolulu, Hawaii, then to LAX. But this time it's a non-stop flight from Guam all the way to Los Angeles. Order is an order.

On the day of departure the plane was full with the Vietnamese refugees, grandparents, parents and children. When I saw them boarding up the steps, there was the fear of the unknown in their eyes and body language. I don't exactly know why. Perhaps they didn't trust us and were used to being lied to and expecting the worst.

I had a flash back to the days of my refugee period in Pusan, the uncertainty of so many things.

With the flight plan filed, we took off from Gaum heading to LAX. To comply with the orders of a non-stop flight, we needed to fly the most northern route available, to take advantage of the Great Circle route. The earth's circumference is shorter at northern latitudes.

We also flew at the highest altitude we could in order to conserve fuel. And believe me, we checked the available fuel at each check point as usual, and twice, and more. Thank God we had favorable weather and no head winds, which can play havoc with your fuel. All our eyes were glued to the gages, especially the fuel remaining.

A 100 mile an hour head wind, for example, can take an airplane traveling at 200 miles per hour and turn it into an airplane traveling at 100 miles an hour. The resistance causes a greater usage in power, and thus, more fuel consumption.

I remembered during this long 14 hour flight, I came out of the cockpit to see how everything was going with the passengers. All I saw was a dark cabin and their eyes wide open. They were in what seemed like a catatonic state. Fear of the unknown.

We were flying the refugees to a new home, just as I had done so many years ago. We made the destination, LAX. Once we landed the refugees were then transported by buses to a new destination outside of California, Louisiana I believe. Boat people; Cambodia, Laos, Vietnam, generations of fisherman, climate, similar, more importantly controlled shrimp industry.

I came out of the cockpit, down from upper deck, and I asked the attendant how did it all go with them during the flight. She stated she has not seen anything like it, the adults did not eat or feed the children, moreover and discourage the children from eating or drinking.

This is such speculation on my part, but perhaps they were so afraid they didn't even trust the food? After all, these were boat people from Cambodia and Laos, who knows the atrocities they saw in their own country and maybe even on their trip to Hong Kong?

Still I had to see for myself. I walked to the rear of the aircraft and saw the hygiene truck taking out waste from other planes but not mine. The attendant said, "I have not seen any flights having no waste, what goes?

Then it hit me, and I wept uncontrollably. My mind took me back to my Pusan days.

I said to myself, the people did not eat throughout their journey? Why were they so afraid? I checked the maintenance log to see if there were any anomalies written regards to possible drainage in the lavatories. There were none.

CHAPTER NINE

American Embassy Tokyo, Japan

After my South Korea DOD assignment, I was back with the FAA, went to Japan posted as an Aviation Advisor at the American Embassy in Tokyo, beginning from June of 1980 until July 1981.

My job was to provide oversights on Pan American Airways (PAA) and Northwest Airlines (NWA), two major US Carriers in the Pacific, and other US registered aircraft.

Primarily my work covered route inspection on PAA routes, which were Tokyo, Hong Kong, Bangkok, Bali, Honolulu, Los Angles. NWA routes were to Seoul and other points in the Pacific.

My job was to make regular but unannounced spot inspections. I worked with the cockpit crew; meaning the captain, first officer, flight engineer, and other special inspections requested by FAA office in New York City — the office responsible and holding the PAA Certificate.

These route inspections were conducted for NWA as well. The random route inspection starts approximately two hours prior to flight by visiting the airline dispatch station where flight planning is conducted.

The crew gathered in the dispatch room for briefing. I

introduced myself as the FAA Inspector who will be flying the route with them. I told them I will be in the cockpit throughout the flight. After we arrived at the destination, I would have a debriefing with the captain relevant to the flight.

During this period, even though it had been a few years since President Richard Nixon led the United States to establish diplomatic relations with The People's Republic of China (PRC), PAA became the first US air carrier to make the historic flight to the PRC. Simultaneously, the Chinese carrier Civil Aviation Authority of China (CAAC) made a sister flight to the U.S. It was the most historic aviation breakthrough since after World War II.

The inaugural PAA flight was from New York City to Beijing. My job was to assist with operation related safety information for the US Carrier to fly into Beijing China and safely return.

There were three areas I was fortunate in that I was in Tokyo.

One I held an aircraft Dispatcher Certificate, meaning I was trained in dispatch from the beginning of the flight to completion.

Second, I was in Tokyo, where Japanese Aircraft flew in and out of Beijing. While they controlled the information, I was able to learn what I needed.

The third reason was the people I'd developed a good relationship in 1973, in my first go-around as a DPE, were now in Japan Civil Aeronautics Bureau (JCAB) as upper managers and directors. Having the background in all three of these areas were helpful to complete the mission from Tokyo.

This was the most grandest historical flight of all, the mother of all flights. This flight opened PRC's door for U.S. I'm proud to have played a small contribution from Japan, from my post at the American Embassy Tokyo.

As a footnote, my former USC Military Science class teacher, Col. Robert Lowel, flew President Nixon on Air Force One as the aircraft's captain for his historic visit to China in 1972.

My Travels Continue

My purpose was to close down the Guam Field Office and transfer responsibility to the Honolulu Flight Standards Field Office. The FAA Guam office was there to support the Vietnam effort. The new office is now responsible for everything west of Hawaii.

My next assignment, from October 1983 until January 1984, was Honolulu FSDO (Flight Standard District Office) Principal Aviation Operations Inspector. Consolidating 2 offices; Guam FAA and Honolulu FAA. I spent much time with Hawaiian Airlines (HAL) on their Extended Twin Engine Operations (ETOPS) over water. As a joke many pilots refer to ETOPS as "Engine Turners or Passengers Swim".

I returned home to Los Angeles from January 1984 to July 1987 I was Western-Pacific Regional Office there I was the Far East Program Manager at the same location.

In that position I traveled about six months out of the year. I went from Washington DC to the Far East. Starting in September of 1987 I began one of my longer deployments, in Saudi Arabia.

My first title and area of responsibility was as the Chief of FAA Mission. In 1987, for 6 months I was assigned to US Embassy in Brussels Belgium for the purpose of coordinating with the kingdom of Saudi Arabian officials.

The position lasted until June 1988. From July 1988 to June 1992 I was The Chief of FAA Mission at the American Embassy, Kingdom of Saudi Arabia.

Lessons From My Mom, The Family "Pilot."

Now this may sound unusual given in many countries in the Middle East and Asia women are subservient to their husband and men, but in Korean family it's a subtle matriarch society.

"Umma" in Korean means Mamma. No one is closer to you; she will sacrifice all for you. I believe mothers are all universal in this aspect of course. They all have that leadership ability to make things happen in the family. A Mother has command, control, and information of things that happen around the family. As the military puts it, C3I, "Command, Control, Communicate, and Intelligence," all wrapped up in one.

Most important, a Korean Umma controls the finances. It makes father No. 2 in the Korean lifestyle. This despite all outward appearances, as the Korean wife appears to be submissive and subservient, deferring to her husband. But that's not the case. She holds the purse strings. It is all a dog and pony show, mom is in charge.

In my family, as far back as after WWII, my mother, Pung Yoon Chang, initiated many moves that ultimately brought me to this point in my life. Can you imagine if my mother said no to coming to a foreign land? In the background she supported my father. Yet even the decision to remain in US, was hers.

After returning to Korea, my mother spearheaded the survival decisions. Without her intuitive "Umma instincts" it could have been touch and go. I strongly believe my mother was in the forefront of obtaining the family visa for us to go back to the United States.

My mother jointly gifted Korean works of Art with my father. Her collection dates back during Shilla, Koryo Period, when her grandfather left some of his collections down to her.

My mother will be remembered by many Korean Americans for her philanthropic contributions. She returned art objects to the community by sharing her Korean Works of Art collections. In particularly, in her "City of the Angels" home, as Los Angeles is called.

My mother, Mrs. Pung Yoon Chang, passed away at age 92, in 2010.

In my mind, as with many of us when it comes to our moms, she is still always at my side and will not be forgotten.

To be a Good Pilot, On The Ground And In The Air

The skills and philosophy that it takes to be a good pilot really have similarities to what it takes to be successful in any career and in life.

Think about it; you have to be detailed. You have to know your business. You have to be prepared. I would assume you'd expect all of that from a pilot, who has your life in his hands!

There are two words that I'd put right at the top of any prerequisite for being a top pilot: life first. Life is most precious thing there is, of course. As a pilot, you must always think safety. You must always ask yourself, "If I did this, what are the consequences? What's the worst scenario?"

For example, when you fly from point A to point B, we pilots ask ourselves, "if anything happens to my engines, where am I going to land?" The captain has to know if he can make that emergency landing and where.

As a pilot we have almost no margin for error. That's the reality of what we do. That mentality heightens our preparation.

It's the same for firefighters, police officers, doctors, military personnel. It's my view, and I think well supported by high achievers in any field, that if you treat everything you do in that manner, even in things that do have margin for error, you'll sharpen your skills to such a point you'll be better at whatever it is that you do.

And, you'll gain an edge others don't have.

CHAPTER TEN

Saudi Arabia And Desert Storm

In September of 1987 I began one of my longer deployments, in Saudi Arabia. I'd lived and visited a lot of different countries, but of course Saudi Arabia is very different for what I'd become, a westerner.

My first title and area of responsibility was as the Chief of FAA Mission there. That title and positon lasted until June of 1988. Then for the rest of my time there, until June of 1992, I was Chief of FAA Mission and Sr. Advisor. Both positions were stationed at the American Embassy.

The FAA's Civil Aviation Assistance Group's (CAAG) mission in Saudi Arabia when I was there was to provide the technical and professional advisory services to the Presidency of Civil Aviation (PCA), which is a Saudi agency. We did this in accordance with the various program disciplines involving the FAA's overall assignments, just as we would in the United States.

An integral part of CAAG's function in Saudi Arabia in terms of providing advisory service to the PCA was so the Kingdom could reach a level of self-sufficiency. This project develope for operating and maintaining its own aviation regulatory system, known as Saudization.

And of course another portion of CAAG's function in the

Kingdom was the FAA's bread and butter, flight standards and safety areas.

With respect to living in the Kingdom of Saudi Arabia, of course every country is unique, but from a view of a global traveler as I, Saudi Arabia is most different in every way known to foreigners.

From cultural, right down to daily life style.

The assignment to a foreign post requires, at times, involves reporting to two bosses. But in rare situations, you might have three bosses. Under this work environment as I was in the Middle East, you have many "challenges" in many ways.

I often said the assignment was like in "Lawrence of Arabia". Except in this case, it was "Chang of Arabia." I had two office locations; the American Embassy and another office with Saudi Arabian Authorities. My work was vary complex, and accordingly reporting to my higher up was diverse. Also keep in mind there is the FAA in Washington D.C. still to report to, and occasionally to International Civil Aviation Organization (ICAO), of United Nations.

The work environment was most challenging for outsiders to imagine and for westerners like me, everything begins in the morning, but in the Saudi work doesn't start till after noon. In the Saudi culture there are five traditional prayers per day.

While these are, of course, sacred and unquestioned in Saudi Arabia and to the Saudi people, we westerners have to learn to respectfully work around these prayer sessions. Add to that the 12 hour time difference with the U.S. East Coast, and you have

In 1991, meeting King Fahad

to be a juggler, and a good one at that. At times I'd ask myself, what would Laurence do? But like any other mission, you get the job done. Remember I had some training in these areas in the past, from childhood.

The Gulf War

In August of 1990, Iraq, led by Saddam Hussein, invaded Kuwait. President George H.W. Bush took a strong position; "this will not stand" were his words.

The international security concern was that Hussein and Iraq would control a disproportionate amount of the world's oil reserves if they were allowed to annex Kuwait as Hussein said, he had done. And of course there was the issue of a sovereign nation being invaded. I think it's fair to say while Kuwait was a repressive nation, they were not viewed as a threat to anyone on the world stage.

Operation Desert Shield began immediately and lasted until January 17, 1991. During this six months period, diplomacy was tried and failed to remove Iraq from Kuwait. All the while Pres. Bush was building up a strong international coalition of 35 nations that was prepared to force Iraq out of Kuwait militarily.

Saudi Arabia was understandably concerned from the outset of Iraq's invasion of Kuwait. With its oil reserves and close alliance with the Untied States, they and others were concerned Hussein and Iraq were gunning for them next.

So with great risk to their standing in the Arab world, Saudi Arabia agreed immediately to become a staging ground for U.S. and collation forces to mask for war. This involved the buildup of troops and operations on Saudi soil.

The situation was unprecedented; Saudi Arabia allowed a U.S. Military deployment on their soil. This made a lot of people in the region angry, and made Saudi aviation a target. That's among the things I was there to help stop during that time, especially anything unforeseen.

At the time of the war you have what is called a diplomatic "Eagle Team." This is composed of the American Embassador to that country, and senior members for the U.S. Embassy. This team usually numbers less than 10. I was a member of the Eagle Team operating in Saudi Arabia during Operation Desert Shield and Desert Storm. During the Gulf War, I spent a few days on USS Kennedy Aircraft Carrier in the Red Sea. The ship was heading west toward Baghdad just prior to the war. There were ancillary duties required.

During my time in Saudi Arabia I even met King Fahad. I said to him "your Majesty I am honored to be here." He replied through

Eagle Team on the USS Kennedy Aircraft Carrier in 1991

his interpreter "please accept our thanks for your presence

During the Gulf War I spoke with the King Fahad once, but met two times in his presence. And I met with the President Bush twice and spoke twice with him.

Mostly, I spoke few times with Secretary of State, James Baker, and to Secretary of Defense, Dick Cheney few times. These events were in Riyadh, and Jeddha Saudi Arabia during the Gulf War in mid-1991. During the Gulf War the King's B- 747, specially built for the King with such amenities as full medical support... the B- 747 was well taken care of by the Presidency of Civil Aviation (PCA).

President George H.W. Bush

During the Gulf War. I met with President George H.W. Bush, or "Bush 41" at the King Fahad's Palace in Jedhha, with a most beautiful capture of the Red Sea. I have not seen anywhere like it, except maybe in a fairytale.

The dinner served by the host, King Fahad, was superb. It was unlike other official dinners as the palace guards joined in with King. During our dinner with President Bush and the King my wife was having dinner with the Queen in a separate room along with Mrs. Bush.

My discussion with President Bush was about FAA presence.

This conversation started when President Bush ask me of our presence in Saudi Arabia. I presented a short response of our mission, and he was happy we were there.

President Bush is very cordial and soft spoken man and a very good listener. During World War II he flew a torpedo bomber in the

American Embassy, Kingdom of Saudi Arabia.

Pacific, and he mentioned this to me, as though it was from a pilot to pilot. We had an immediate connect.

My wife lost much weight due to some medical problems. What was surprising and interesting was the Queen sat next to my wife and said to her eat, please eat, you must gain weight and strength. She held my wife's hand most of the evening. The cordial empathy shown by the Queen was noted by the many guests. Mrs. Bush thought it was great, and thought the Queen liked my wife.

Mrs. Bush spoke with my wife about many areas, and my wife was somewhat of a center piece in this banquet. Mrs. Bush spent time with my wife talking about Mrs. Bush's dog Millie, and our dog Dusty. Very few have dogs in Saudi Arabia. Mrs. Bush loves her Millie, and she missed her Millie during her travel. She mentioned President misses Millie just as much. I think she wanted to meet our Dusty.

During the Gulf War I received honors and recognition from the Saudi Government and President George H.W. Bush for my contributions during the Operation Desert Shield and Desert Storm.

Passports

Now something I should add is about passports. I had three issued by the United States Government; a personal one, which is blue, an official one, which is red, and a black one, which is for a diplomate.

So it works like this, diplomats traveling on behalf of the U.S. government use the black passports. This is so we can identify ourselves as diplomats, and are therefore entitled to diplomatic immunity and privileges. The red passport is used by individuals traveling on government business, but without diplomatic status. And of course the personal blue one, is the personal one.

It's very important to use each one of these correctly. For example, if I enter Israel, I can't then use the same passport they stamped to then enter Saudi Arabia. Saudi Arabia and some other Arab countries are very anti-Israel. If Saudi officials were to see a passport where I entered Israel, they could very well put me into a database where I then could never enter the country.

So I could use, let's say, my red official passport to enter Israel, but then my black diplomatic one to enter Saudi Arabia.

Certainly in any country that has a draconian legal system, you want to use the black passport because of the diplomatic immunity just in case you accidentally due something that would be no big deal in our country, but is a great offense to the host country.

It's very important to carefully plan ahead by knowing which passport to use in one country with the foresight to know which other countries you'll be needing to enter later. The complicated dynamic between China and Taiwan falls into this category too.

Home Finally

I had a decision to make before 1992; which FAA desk did I want to come back home to? Back to a job in Lawndale, California or one in Washington D.C. as a senior FAA executive, I was already a senior general scale with 11 years of service which is on par with a military Brigadier General.

My father came to see us in Saudi Arabia. He said, if possible he wanted me to come home to the Los Angeles area so he could be close to his grandchildren, meaning my two sons. My years of travel had made that difficult for him of course.

Even though he didn't say it, I sensed my father was ill. I

decided to come home not knowing my father was going to die in six months. He passed away in the spring of 1993.

The greatest gift I ever had was not going to Washington, D.C. If I had, I certainly would have missed those last months with my father, and he with us.

So from June 1992 to April 2002 I was the Western Pacific Regional Chief of Special Projects for FAA, based in Lawndale, Southern California.

My department was responsible for some millions square miles including Polynesia, Micronesia, Melanesia, Indonesia and South East Asia. Any operational concerns, accident investigations, regulatory violations, and administrative things were under my purview and that of my team.

Regarding operational violations occurring in my area, I was then being part of a team to determine what the sanctions would be.

This is called "EIR" — Enforcement Investigative Report. The sanctions can be administrative, certificate action, or revocation. In each case I provide my input to what the sanctions will be. In my FAA career conducted over 700 EIR's, and broke the previous record.

My work was also unique accordingly: The FAA has some 50,000 employees in areas such as administration and human resources along with air traffic controllers, technicians, engineers, airport support, etc. Only around 3,000 of the 50,000 are FAA flight standards operation officials like myself. Out of those 3,000 only about 5% are assigned overseas, and only a handful of those are assigned to challenging environments. I would say a challenging environment is being in a country that has a drastically different political system from ours in the United States.

CHAPTER ELEVEN

9.11 Terror

The world changed for all of us on what was a beautiful, clear, 64 degrees New York City, September 11, 2001 morning. The normal Manhattan hustle and bustle was suddenly interrupted by the piercing sound of a jet that was going far too fast and too low it was flying.

Driving into work that morning, I wasn't listening to the radio. I had no idea of the tragedy and seismic shift going on in the United States that day.

I arrived at the Western-Pacific Regional Office of the FAA, located in Lawndale, CA, my usual 15 minutes early for work, at 6:45 am, on the day known now simply and forever as "9.11."

Tragedy had already transpired that day on the east coast that would ultimately result in the death of thousands of innocent people at the hands of terrorists.

My first clue that something wrong was going on that morning I noticed there was an enormous amount of guard activity as I drove into our parking lot and complex. More guards than usual. At the gated entrance I was asked to show my identification, something I was never asked to do.

Upon entering the building on the first floor, there was more activity: something was definitely off. I even saw people crying!

My first thought was did the president die?

At 8:46 A.M. EST American Airlines Flight 11, a Boeing 767 hijacked by five terrorists, slammed into the North Tower of the World Trade Center. The impact zone was between the 93rd and 97th floors. Ten-thousand gallons of jet fuel ignited an inferno. Innocent people were killed, murdered, instantly. Other innocents would die in the terror unleashed shortly thereafter.

Flight attendant Betty Ong, one of the first heroes of 9.11, had notified FAA air traffic control that the airplane had been hijacked before she and everyone aboard was killed. That much was known to Ben Sliney, National Operations Manager of the FAA, based in Herdon, Virginia. What Sliney or no one could know for certain, if indeed the aircraft was hijacked, was it an intended suicide and terrorist act, or an incompetent pilot hijacked?

Everyone was in a state of shock. Then at 9:01 A.M., the question about a potential pilot error was definitively answered: United Airlines Flight 175, another Boeing 767 hijacked by five more terrorists, slammed into the South Tower. The impact zone was between the 77 and 85th floor and it too released the same 10,000 gallons of combustible jet fuel. More death added to the mounting death toll.

Shortly thereafter, Sliney knew America was under terrorist attack. He issued an unprecedented FAA order; no civilian flights could take off from anywhere in the United States. All airplanes were grounded until further notice. But some 4,000 civilian aircraft were still in the air, any one of which might be hijacked one where terrorists were in control.

At 9:37 am EST, American Airlines flight 77 crashed into

the western side of the Pentagon in Arlington, Virginia, causing 184 innocent deaths.

Now Sliney upped the ante, issuing another unprecedented command; he ordered the grounding of all 4,000 civilian flights already in the air. They were to land immediately. This was a potentially dangerous move for logistical thus safety reasons, and one that would also cost the airlines millions. But Sliney felt the cost of doing nothing was far greater. Any planes left in the sky not complying the order, were likely under terrorist control.

One plane was not complying, United Airlines Flight 93. Hero passengers, now aware of the World Trade Center attacks, fought to take back the plane and prevent it from striking any intended target and taking more lives on that terrible day. Flight 93 crashed in an empty field near Shanksville, Pennsylvania at 10:03 AM, all were killed.

So by the time officials at my office got settled, most of what I described had happened or was in the process of happening.

The planes had already hit the World Trade Center but the buildings hadn't fallen yet. We at the FAA, along with the rest of the intelligence agencies and law enforcement, now we knew it was certainly a coordinated attack. Our job was not that of the FBI and CIA, who had to figure out who did it. Our job at the FAA was to control our airspace.

Things were of course very hectic when I got to the office as I said.

I was going through the building's front door toward the elevator to get to my office on the 6th floor that morning when

I noticed the scene I described earlier. What transpired on the east coast was shared briefly to me by my coworker, who then relayed all the officials were to go directly to the Communication Center.

Whenever an emergency occurs we all meet there. That is standard operating procedure. We were watching live TV when the buildings fell. The South Tower of the World Trade Center collapsed at 9:59 AM. At 10:28 a.m., the North Tower followed.

In all 3,000 civilians died on September 11, 2001 from attacks carried out by 19 Al-Qaeda terrorists who hijacked those four commercial jets. In addition to the civilians, 343 firefighters and 72 law enforcement personnel were also killed.

We now had our 21st century day of infamy, to call what President Franklin Roosevelt called the attack on Pearl Harbor almost 60 years before.

I was chocked up, very badly, asking why and how this tragedy happened. For a while I was in a trance, it was truly an indescribable tragedy of course. Why in our own backyard?

Having observed two wars, Vietnam and the Gulf one, and having seen what I saw upon my childhood return to war-torn Korea, I thought I was prepared for something like 9.11, but I was not. Not even close.

We at the FAA Western-Pacific Regional Office where I worked were in a state of emergency posture, prepared to take on any challenges that may be confronted.

The Western Pacific Regional Office's geographic area of

responsibility is California, Nevada, Arizona, Hawaii, and the Pacific Ocean to include Polynesia, Micronesia, and all of the way to Guam and further. We received orders and individual assignments.

As the Western Pacific Regional Flight Standards Chief of Special Projects for FAA, my job was to handle situations that were beyond the normal procedures and parameters. This usually involved coordinating with the FAA field offices to carry out other ancillary duties that may require my expertise.

My assignment on 9.11 was to ground all agricultural airplanes. Our office corresponds with all federal agencies, and appropriate state agencies, along with the US Territory of Guam. The most important coordination is with our FAA Flight Standard Field Offices in the four states I mentioned. The field offices execute FAA Orders from HQ Washington. Accordingly, they coordinate with all local law enforcement to execute any and all orders.

Our area of responsibility was vast and the size to manage unrepentant. Most importantly, the reason for grounding agricultural airplanes was they can be modified to carry anthrax and or other deadly biological weapons to spray over highly dense populated areas.

Every FAA Inspector Officials received similar orders regarding airliners in the air and ones on the ground; everything was grounded immediately and was to stay that way until further notice. Agricultural airplanes were high on the list to be grounded because, as I said, the potential mass destruction can be devastating.

Never in our history had terrorists commandeered commercial airlines and our civilian airplanes as weapons of mass destruction. We sure weren't going to allow agricultural planes to be the next weapon. Standard operating procedure was that the FAA has control over all flying machines, including agricultural ones.

I'm certainly not one to pontificate or think that I have all the answers. That said, I do believe one of the lessons that comes out of 9.11 is the higher you have to go to prevent something like this, the more complicated it becomes, and the harder it is to stop because it has already gotten that far.

It's by catching something early, while it is still at its lowest level, its simplest level, that catastrophes are stopped. I know that's always easier said than done, but I do believe it's a good life lessons that we can all apply to our own lives.

September 11, 2001 saw so many heroes. The brave passengers who fought back on the airliners, such as those on United 93, who had the knowledge of what had transpired. Then there were the firefighters and police officers who risked their lives and those who gave theirs.

And then there were the everyday people, the countless stories, of those caught up in the extraordinary circumstances who could have just worried about their own safety, but instead risked their lives to help people in need.

Let's also not forget the search and rescue and clean-up efforts at ground zero at the World Trade Center that has resulted in some 1700 responders contracting 9.11 related illnesses. Over 150 have died from them.

General Richard B. Myers USAF(Ret.) was keynote speaker of Regional National Security Symposium at Young Oak Kim Academy, Los Angeles, California. (March 4, 2010)

We at the FAA tried to do our part to prevent any additional deaths that day and right through to this day. We weren't on the front lines of danger; that's not generally the nature of what we do. That said, I'm proud of my colleagues and was honored to play my role to be part of a monumental effort to keep America's skies safe on and after 9.11.

When 9.11 happened, Gen. Richard Myers was the Chairman of the Joint Chiefs of Staff. Every command was under him, everyone was banded together. I worked with the general at the National Defense University Foundation (NDUF), on national security management symposium.

Gen. Myers is a very tall, very commanding, straight forward person, and likable. We connected immediately when I picked him up at LAX in 2009.

We had dinner with an ambassador and a retired general. The

dinner was to prepare for the National Security Symposium, to be held next day at the Col. Kim Young Oak Junior High School in downtown Los Angeles. Young Oak Kim was the first Korean American to achieve the rank of colonel in the U.S. Army.

(L) Brigadier General Kim Kook Hwan, Korean Embassy Military Attache, Republic of Korea's Minister of Defense Lee Sang Hee, General Petraeus and Dr. Chester Chang.

Commemorating General Paik Sun Yup's visit to the NDU. Honorable Dr. Ty McCoy Secretary of Air Force, Dr. Chester Chang. Among others.

CHAPTER TWELVE

Getting An Education
After Being Educated

Remember I told you earlier: "Education, education," was my dad's mantra. I heard my dad say often, in Korean, "Learn, Learn. You don't learn, you don't know the world."

My return to academia happened when I was past 40 years old and while I was employed as a full-time FAA official. Oh sure, I'd had a lifetime of education in my work responsibilities since dropping out of USC, but now if I wanted to move up in the FAA. I needed more educational credentials to do so. I was ready and eager to get them.

This was all made possible due to the government's financial commitment for continuing education for government employees like me.

In the early 1980 when I was stationed in Guam, I was able, through the University of Maryland, complete by Bachelor degree, earning a BS in psychology. Some of the University's instructors visited us at the Anderson Air Base in Guam and there was correspondence work.

Around the same time, I was able to complete my studies at the University of Oklahoma, earning an MS in Human Resources. This, too was done as a combination of classroom work, when I was in Oklahoma visiting the FAA academy there, and through correspondence work.

In 1982 I attended the Air War College at the Anderson Base, in Guam. This course was for field grade officers or higher. It was equivalent to a Master's Degree, in Air War Science.

I was back home in Los Angeles in 1983 and first assigned to the Western-Pacific Regional Office of the FAA in Lawndale. The next five years made up for time lost at overseas assignments. It was the most aggressive challenge of my life.

I returned to USC and completed my Masters in Education, in 1985. I went full-time, mostly night classes although I also went to somedays ones using my paid time off.

At the University of La Verne from 1985-1987 I earned my Ph.D. in Public Administration. The cost was defrayed by the government under the continuing education for future senior executive candidates.

Through my visits to the FAA Headquarters in Washington D.C., I was able to attend seminars at the National Defense University (NDU), where I earned my credentials in National Security in Management between 1985 -1986. This too involved correspondence classes.

The education at the Air War College and the National Defense University were senior executive courses needed for senior government positions I wanted to pursue. (I completed both courses; Air War College and National Defense University in 1986 at Los Angeles Air Force Base).

CHAPTER THIRTEEN

National Defense University(NDU)

My association with the National Defense University led to me serving eight years as a Director, from 2009-2017, for the National Defense University Foundation. Upon retiring from the Board of Directors, the board unanimously voted me a lifetime "Director Emeritus" title and positon.

I was honored by both positions, and I consider it to be my greatest honor received. It's a culmination of my experience with the U.S. government and my experience with the NDU and NDUF. While I'm retired, I'm still actively involved in the foundation.

Here's a little about the The NDU Foundation, from their website, which explains more comprehensively what they do and how you can help: The NDU Foundation invests in the education and leadership development of national defense, security and peace-keeping professionals studying at the National Defense University (NDU).

By working to bridge the gap between what is necessary and what is possible with public funding, the NDU Foundation serves as the conduit for private-public partnerships benefitting the University, enhancing NDU's global reach, and ensuring that the National Defense University remains the crown jewel of joint interagency education.

We call these partner investments, the "Margin of Excellence," resources that elevate the capacity of NDU to supplement and support experiential learning experiences for our faculty and students. We are committed to maintaining the highest standards of education excellence across the university and strengthening all of our programs and initiatives so our can fulfill their potential. We also recognize the value of making strategic investments where NDU is uniquely positioned to make significant advances and contributions to society.

Transparency & Engagement

The NDU Foundation builds long-term relationships with partners based on transparency, active engagement, and responsiveness. In addition to providing world-class education experiences and opportunities to National Defense University students, our partners are invited to participate in exclusive academic, social and professional activities, while benefitting from opportunities unparalleled in scholarship and expertise in national security matters.

The NDU Foundation also gives out the American Patriot Award. I was involved in the selection process for many years. Their website says about it: "The American Patriot Award (APA) is presented annually by the NDU Foundation and recognizes men and women of extraordinary excellence whose leadership has strengthened our nation's strategic interest. It honors exceptional Americans whose inspirational leadership and selfless dedication embody the United States' ideals and democratic principles in pursuit of enhancing human security and global stability."

As of the writing of this book, the 2018 awards ceremony will be at the Ronald Reagan Building and International Trade Center in Washington D.C. Recipients will be James A. Baker III, the 61st United States Secretary of State and Leon Panetta the 23rd United States Secretary of Defense.

As a member of the board of director's, I have voted for

the following recipients of the American Patriots Award (APA): Dr. Henry Kissinger; Gen. Colin Powell; President George H.W. Bush; Sen. John McCain; Dr. Robert Gates; Dir. John Brennan; Ms. Hillary Clinton, and other Patriots. Colonel Kim Young Oak was honored at NDUF.

Established guidelines directed our search and the directors then vote. Participants from all walks of life attend the award ceremony. It's a gala event awarding the APA, truly a time to remember. There are other events such as scholarships, for the National Defense University and International Symposium.

Aunt Lesa, who I told you about earlier, married, moved to Chicago area, and had two children, my cousins. In keeping with the family tradition of education, her son was accepted at the United States Military Academy at West Point.

Daughter Sharon was accepted to United States Air Force Academy, in third class female ever to attend. Sharon is a Major General Retired from USAF, and today Sharon is Vice President of General Dynamics , Mission Systems.

Major General Sharon K. G. Dunbar, USAF (Ret.) ; Dr. Chester Chang ; Thai Ambassador to the U. S. Honorable Vigavat Isavabharkdi; Mrs. Isarabharkdi. Their presence was to commemorate the Thai Military participation and sacrifices made during the Korean War.

National Defense University Foundation

CHAPTER FOURTEEN

Teaching

My first teaching opportunity came in 1985 when the FAA developed the "Airway Science Bachelor Degree" program. University of California was seeking professors to teach these courses. I was a prime candidate, but required FAA approval. FAA encouraged qualified individuals to go for it.

The first opportunity for me to teach came up at California State University at Los Angeles from 1985-1986 where I taught classes in aeronautics.

I also thought at Embry–Riddle Aeronautical University from 1985 to 1987. The courses I thought were Human Factor in Aviation and Fault Tree Analysis.

After returning to US in 1992 from my Saudi Arabia posting, I thought human factors in aeronautics at Boeing for Embry Riddle University in Long Beach. This class was to teach a masters course for the managers assigned to C-17 manufacturing plant. The actual production concerns on Boeing C 17, number 61 was used as human factors paradigm. They had to have a master if they wanted to be eligible for promotions. Needless to say I had 100% attendance for a full semester. Advancement is quite a motivator and fear can sometimes accomplish things.

I returned to Embry–Riddle from 1995-2000 and thought at Dryden Edwards Air Force Base, the Skunk Works Program.

Embry–Riddle Aeronautical University Boeing C-17 masters course for managers.

I received my Adjunct Full Professor honor in 1997 at Embry–Riddle Aeronautical University.

The FAA blessed the outside teaching and encouraged FAA official that were qualified to teach at Universities.

For 8 years had the pleasure of teaching at several great universities and educational institutions

In 2005 I was appointed to the rank of Adjunct full Professor at Embry-Riddle Aeronautical University. Dr. Thomas Sieland, Dean of Academics, wrote to me in a letter announcing my appointment words that I appreciate and cherish.

"Attainment of this academic position is indicative of your dedication to excellence in aviation higher education professional expertise. You have met and mastered the challenge of working in the dynamic environment of the College of Career Education,

Dryden Edwards's Air Force Base masters course for directors.

which requires flexibility, adaptability, and an understanding of the educational needs of the working adult. Your efforts in and out of the classroom are evident in the achievements and success of our graduates."

The wonderful thing about teaching is, in the process of teaching others you continually learn and educate yourself. The key for me to being an effective teacher was the same as being a willing student; commitment.

CHAPTER FIFTEEN

The "Art" of Giving

You might say a love and passion for Korean works of art is in my genetic code. And you'd be right or close to being as right as possible.

As I said about my mother, her art collection dates back Koryo and the Joseon Korean Dynasty. It lasted some 7 or 8 centuries.

She came into her collection when her grandfather passed it down to her; generations worth of treasured Korean art. He passed it down to her because she was his favorite, and thought she would appreciate it and be a proper steward of it. Then there was my father, who you'll recall brought his own extensive Korean art collection with him when he first came to Los Angeles as a diplomate in 1947. You'll also recall he used pieces of his art collection as "ice-breakers" at diplomatic gatherings.

So on both my mother and father's side, generations of Korean art works were passed down to them and eventually to me and my brothers. I've expanded my collection to include Japanese, Chinese and Vietnamese/Anamese works of art.

You'll further remember it was my home room teacher at Kyunggi Jr. High when I returned to South Korea, Mr. Park Sang Oak, a famous contemporary artist, who awoke and ignited my passion for learning about Korean works of art throughout my

My aunt Mrs. Im Chang Soon at the Seoul residence.

adult life.

There is another art mentor that I didn't tell you about earlier, my aunt, Mrs. Im Chang Soon. She's a hero to me and she mentored me through my adult life with Asian arts. She was married to one of my mother's brothers. My aunt was perhaps the most obscure yet knowledgeable collector of Korean arts. My aunt passed away in 2003.

Background

In 1903 the first Korean immigrant arrived in Honolulu, Hawaii. To commemorate that historical occasion, in 2003 — the 100 year centennial, I gifted 100 Korean works of art to the University of Hawaii Center for Korean Studies. The university requested items from that era and period to commemorate the Korean Culture portrayed in that era.

In 2003 I became a Trustee, board of directors at the Los Angeles County Museum of Art, and served in that capacity until 2006, expanding the Korean gallery and art holding. I truly enjoyed my tenure with LACMA. During my trustee service, I had an opportunity to give some of my Korean and Vietnamese (Anamese) collection.

My LACMA experience was, and continues to be, one of the highlights in my life. Such work fosters inter-cultural understanding and ways we can cultivate respect for one another.

My mother will also be remembered by many Korean Americans for her gift to LACMA of art collections, as I said. I believe, when opportunity presents itself, give back to the community that has been so generous to you, in your own way. In my case that was through art. I owe so much to my community, and to my country, the United States of America. I arrived as an immigrant, and was given the opportunity to rise to where I'm at today. There is no place to compare as far as I'm concerned.

The Korean Ceramic Collection gifted to LACMA, in 2003.

How I See It

My life philosophy has been: "I collect and share, therefore I am." I wish to maintain that joy of giving.

In that way I'm following my parent's philosophy of giving back.

My mother and my wife both graduated from Kyunggi Girls School in Seoul. As you'll recall I also graduated from the boy's side of the school. In memory of my mother, my wife and I have donated art pieces to the Kyunggi girls school, to support the opening of the school's museum. This gift was made in 2004.

In 2007 I donated a 250-year old classical painting called "The 100 Scholars" at the USC School of Social Work. I had donated the painting on the occasion of the NetKAL Benefit Gala. I additionally gifted 14-18 valuable works of Korean Art to the USC's Doheny Memorial Library and to the Korean Studies Institute, also at USC.

The Korean cultural artifacts I donated to the USC School of Social Work's Network of Korean-American Leaders Fellowship Program (NetKAL), was used in charitable auction. The proceeds generated from the auction were gifted to NetKAL.

I said at a press conference at that time "I completely support the mission of the NetKAL program, which was created to nurture the next generation of Korean leaders."

Overall I've donated many Asian art pieces from my collection to the Los Angeles County Museum of Art, USC and other institutions.

Gathering of USC Supporters

A Watershed Moment

I'd been thinking about donating cultural properties from my collection for a long time and got started. Factoring into my decision was I was worried there was no one in my family to leave the collection to, who had the same level of interest I did in it. I have only one son now who is a doctor. He and his wife Nicole's passion is medicine of course and that they don't have a lot of time for overseeing a collection of this magnitude.

Looking after a collection like this size is demanding and challenging. And "looking after" also means not just maintaining it but constantly looking to add to it. It's a "leisure activity," but it has the demands and responsibilities of being a steward. It is one I find very rewarding and exciting. However, it's not for everyone.

In 2008 I heard the sad news that an arsonist fire destroyed South Korea's number one national treasure, officially known as the Sungyemun or "Gate of Exalted Ceremonies" in Seoul.

For Koreans this was a monumental historical, symbolic and cultural loss. Originally built at the start of the Joseon dynasty in late 14th century as part of a wall that surrounded the city of Seoul until the early 21th century, it was the oldest wooden structure in Seoul.

The morning after that fire, people from all over the country gathered around the Gate to mourn its tragic loss. It was not a person of course, but it symbolically tied generations of Korean families together. Sungnyemun saw 600 years of Korean history where it stood. It was like the mountains, like the moon in the sky.

Christopher Lotis and Michel D. Lee, authors of Smithsonian "Symbols of Identity: Korean Ceramics From The Collection Of Chester And Wanda Chang," wrote that Sungnyemun "was not just a historical structure of wood and stone however, it embodied a culture and symbolized the spirit and identity of the Korean people."

As I said to a Korean news program at the time, "I feel like my heart has a nail through it." I spent my childhood years before first coming to the United States living near the site of the Gate. I felt that sense of ancestral pride and heritage growing up and gazing at the structure, It spoke to us.

I thought in the midst of this Korean cultural devastation, it would be a good time to begin making donations to the Korean Foundation, which is an arm of the South Korean government. My hope was this gesture might help to console the Korean people, who were terribly saddened by the recent tragedy, and renew their appreciation of the value of cultural properties.

Among the donations I made was a porcelain incense burner.

I proudly and ceremoniously hand carried to the site of the Gate in the winter of 2008.

For me the significance and meaning this small ceramic piece conveyed is powerful and important for several reasons. During the Joseon period of Korean history, this incense burner would have been used for ancestral memorial ceremonies. It is my way of showing my understanding and wish to help alleviate the pain of this significant symbolic loss to the Korean people.

The gate was rebuilt 5 years later using wood that was salvageable from the fire. Hopefully this one will also have the life of 600 years or more.

Further I donated an eight-panel folding screen, which features a landscape painting to the Korea Foundation. In their newsletter about it they wrote: "The folding screen, which is believed to have been created about 250 years ago during the Joseon Dynasty era, is especially noteworthy for the poems written along its upper border, thereby revealing the aesthetic and literary beauty of Korea."

It further went on to say the landscape painting "portrays the natural beauty of Korea with a graceful landscape scene that includes various birds."

The screen would have originally been in the home of a nobleman during the Joseon period. It could have functioned as an elegant room divider and provide protection from cool drafts during cold periods, of which there are significant ones in Korea.

Previously this piece was one of six items that I loaned to

the Honolulu Academy of Arts in 2003.

In that same article they said that I have "accumulated a world-class collection of Korean antiquities and art works" that I donated to the Korean Foundation "as an expression of his hope to have more foreigners gain an appreciation of Korean culture."

The incense burner and the folding screen are two of the 15 artifacts that I decided to donate to Korea to help alleviate the people's sense of loss and sorrow over the destruction of Korea's venerable Sungnyemun.

Among the other donated works were a a full-length portrait painting of Jeong Mong-ju, a Goryeo scholar known for his staunch loyalty. This painting was gifted to the US Korean Art Foundation.

After deciding to donate to Korea the various art works, which I had owned for about five decades, I sought out advice from the Korea Foundation about appropriate recipient institutions.

Dr. Chester Chang holds a jar with European Scenes.(LACMA)

I've collected about 1,000 Korean cultural properties over the past four decades since immigrating to the U.S. in 1958. Of those I've donated about 400 works of antiquities to distinguished institutions and will contribute more works from my collection to Korea and various institutions. My goal in doing so is to play a part in helping establish the identity of

Airplane, Gulf Stream 5, named after my son's Korean name "Chang Jin Hyun" (2005, 10. 3)

Korea's culture and people.

My most recent gift to Honolulu Museum of Art is "Zen Parable" by Kim Hong-do.

My Saddest Donations

On May 7, 2005, my eldest son, Chester Clarence Chang, who was 26 and a pilot with a private jet company, was shot to death outside a Koreatown restaurant in Los Angeles. He was just out for an evening with his friends. Det. Alan Solomon of the LAPD's Asian Crime Unit said my son, who went by Clarence, tried to intervene and help in a conflict. He was in the wrong place at the wrong time, trying to do the right thing.

In 2004 Clarence donated a 20th century porcelain jar to LACMA. It featured beautiful decorations of European scenes. Clarence loved this particular piece because of it symbolized a connection between the cultures of East and West. It also symbolized peace and harmony.

On the front of the jar is a Western-style house with a chimney; the opposite side depicts a single small Venetian gondola. "

The jar is my favorite, too. It's now so much more than crafted porcelain. It carries important personal significance and symbolism for myself and my family, due to Clarence of course. It represents so many reasons for existence.

Vietnamese lacquer Buddha "The Jina Buddha" gifted to LACMA, 2005

In the midst of such indescribable pain and tragedy, I decided to make a donation in my son's name, for the purpose of helping to defuse tension among the diverse Asian communities of Los Angeles. The piece I chose was a rare wooden Vietnamese lacquer Buddha called The Jina Buddha Amitabha, which I donated to the LACMA.

I told the Los Angeles Times that the Buddha, which is a

symbol of a common religious belief among diverse Asian cultures, would become source of pride for Vietnamese immigrants to Los Angeles.

The seated Buddha is 27 inches tall and believed to be from the 18th century. It's coated with lacquer and a dark red pigment. It was placed in the museum's Southeast Asia gallery. I had originally purchased the Buddha from a private collector in Saigon sometime in the 1960's.

I was pleased to hear at the time of the donation that Dr. Robert Brown, LACMA's curator of Southeast Asian art and a professor of Indian and Southeast Asian art at UCLA, said to the LA Times that the Buddha had instantly attracted inquiries from Vietnamese doctoral candidates interested in studying it.

The article further stated that experts estimate that fewer than 50 Vietnamese Buddhas are currently in Western museums.

"I have to really emphasize how little scholarly work has been done on these," Brown says. "We don't have another piece like it."

Soon after my son passed by an assailant's gun, my wife and I also made a gift to the National Museum of Korea, a matchlock long barrel rifle made, in 18th Century.

This gift was made in memory of my son's departure by a gun. The rifle was used by the palace guards to protect royal family. This was one of my wife's favorite item in our collection.

Wanda made a gift to the National Museum of Korea,
a machlock long barrel rifle, Circa 1800. (2005, 10. 5)

My mother was alive, at 87, when Clarence was killed. She made the first donation in the memory of Clarence, ceramic art to LACMA.

Authenticity: Trust but Verified

Starting in 2007 I began to scientifically test some pieces of my ceramic collection as authenticity is of paramount importance to me. It should be to any serious collector.

With the "art" of antique forgery of South-East Asian artifacts becoming so sophisticated over the years, I felt an urgency to authenticate my collection. Experts have estimated that as much as 20% of Chinese pieces in the international art market is fraudulent.

The process I chose is called "thermoluminescence" testing, TL for short. TL measures the amount of radiation a particular ceramic piece has been exposed to since it was initially made or fired.

The results allow for an estimate of the time period when the ceramic was created. It's said to be accurate by a plus or minus of 20%.

To perform TL testing on a porcelain or stoneware piece, the process involves extracting tiny cylindrical cores measuring 3 millimeters in diameter and 4 mm in length from two different unglazed areas of the base. Ideally, of course, from the most inconspicuous areas.

The faint blue light that is emitted from a sample when it is heated at high temperatures is called thermo luminescence, thus the name of the testing.

The more light or thermo luminescence that is produced by the sample during this heating process, the more radiation it has been exposed to, and thus the greater age of the piece.

Now, because of the necessity to drill holes in a sample to test, TL can also be a destructive procedure that can result in decreasing the value of a work of art.

I've chosen to TL test over 100 of my ceramic pieces. That is considered a high percentage for a collection that totals over 1,000 pieces, the majority of which are ceramics.

But as I said, for me, authenticity is of the utmost importance. So much so it takes precedent over any possible monetary loss for an individual piece. Since the testing is done to the bottom of the pieces, the actual damage is insignificant in my opinion.

I guess you could say it's like a ceramic "right of eminent domain; the most good for the most people." In this case substitute people for ceramics.

I never had any serious doubts about the authenticity of my collection or piece from it. My goal has been to provide as much authenticity as I can. All the tests on my collection were performed by England's Oxford Authentication Laboratories, at Oxford Univeristy. .

My collection focuses on ceramics. As Lotis and Lee write "ceramics are an important craft form in Korean history and are intricately tied to the court, aristocracy and everyday life of the common people."

TL testing does have some drawbacks and counterfeiters have tried to up their illicit game because of it. A TL test is powerful evidence of authenticity even if it's not an infallible conclusion.

My collection has been the subject of two books, the aforementioned "Symbols of Identity: Korean Ceramics From The Collection Of Chester And Wanda Chang," by Christopher Lotis and Michel D. Lee, and "Undiscovered Art From The Korean War: Explorations In The Collection Of Chester And Wanda Chang." Both books were published by the Asian Cultural History Program, National Museum Of History, Smithsonian Institution.

A Final "Artistic" Thought

I collect for the pure enjoyment of it and the importance of it. I donate Korean works of art, so future generations can study the periods of time through art.

In a science fiction movie or two regarding intelligent extraterrestrial life, the idea is put forth that numbers are likely to be the only universal language. It's proposed that any first alien contact will likely depend on them as a key to initial communication.

In the movie "Contact" astronomer Ellie Arroway, played by Jodie Foster, is listening to mysterious radio communication picked up by the Seti project. She says excitedly "those are prime numbers! 2,3,5,7, those are all prime numbers and there's no way that's a natural phenomenon!"

Well I don't know about all of that, but down here on earth, I've found, and believe, that sharing one's culture through art is a great starting point of universal understanding between different peoples. Whatever our cultural, regional, religious and political differences, everyone can put those aside and share their culture through art.

Korean Guardian Statues

CHAPTER SIXTEEN

Dignity for the Homeless

The proceeds from the sale of this book will be a charitable gift for the homeless.

I hope this support can assist to reach a higher "ALTITUDE " for the homeless.

Again, it's the "Little drops of water and small grains of sand make the might ocean, and pleasant land."

The homeless population is made up of a lot of individual situations. Some need the kind of help that loved ones aren't equipped to give, such as those with serious addiction or mental health issues. That's where government agencies and private support come in.

But others, like many in shelters, would benefit very much from loved ones taking an interest in their situation, not writing them off as failures, and finding out what can be done to help them get back on their feet after their fall.

We've all heard the statement that many, many people in this country are only missed a paycheck or two for potential homelessness.

As you'll recall, I lived the fear of homelessness when my family and I arrived in Pusan in 1953 as refugees. Sure we weren't destitute and my father owned a home in Seoul that we just couldn't get to, but the bottom line was while in Pusan, we were homeless. We were living in a shelter unit my uncle generously invited us into his home. The relief I felt, is the relief I want to help bring to others who are in homeless situations.

All situations vary, but this much is not in dispute: nobody who doesn't want to be homeless, deserves not to be homeless. Life shouldn't be a survival of the fittest. Life should be a celebration of compassion for all.

Please do what you can for the homeless, as we will too. Thank you for your support.

And please look for the next book from Dr. Chester Chang: Part Two will follow with my ancillary and asymmetric side of my life.

Some require concurrence from other sources. I certainly have enjoyed it, I am certain you as will.

A life for that matters, life is not just straight even plain. It's more like flying an airplane; up and down on an uneven altitude. The changes and development comes with pressure differences.

Like life changes also with accommodating pressures, the second part with of the book will share my altitude and changes. I hope you will join me then as we continue the journey.

EPILOGUE

I've been asked, why did I want to write a book?

Writing a book isn't easy as anyone knows who has ever undertaken such a challenge. It takes time and it can cost money, as this one did for me. A book of this nature forces one to search feelings—some long dormant—and relieve not just the good times, but the very painful ones too.

However, I just felt I had something and somethings I wanted to share with you. I did so, so just maybe what I've learned in my life can be of value in yours.

Writing this book was a continuation of something I've always done in my life, the constant search for meaning and trying to make a difference in my own humble way.

My motivation for writing this book came to my mind sometime ago while I was teaching. My philosophy in teaching is driven by commitment, sharing and mentorship.

Among those three, without mentorship what was shared ceases to exist in some manner. To have continuation, commitment is the driver and binder of progress in living and daily life style.

Commitment and honesty are two traits I admire most. And of course, mentorship. I have had so many great mentors in family, friends, and people who just took an interest in me. We all hope and would expect that of our family but to find it in others is a rare gift.

There was the captain of the ship that took my family from Seattle to Seoul in 1953. You never know the difference you can make in someone's life, even a person you just met, by caring, sharing, and mentoring.

When I was a little boy, I remember a piece of advice from a book I had read. It went like this: "Little drops of water and small grains of sand make a mighty ocean and pleasant land."

In life and society, one thing builds upon the next, information, invention, knowledge. A book can alter an individual's life, whether it's in a writing one or reading one. It certainly has given me the philosophical path. I hope somewhere in this one can find what one is searching for.

I said with regards to my art collection, "I collect and share, therefore I am." I guess to really sum up the motivation in writing this book I could say:

"I share, therefore I am."

Thank you for reading,

June 15, 2018

Chester Chang

고공비행

한국에서 미국으로, 역경을 극복한 이야기

체스터 장

노숙자의
존엄을 위한
헌정(獻呈)

제목		**고공비행**
저자 · 발행	|	Dr. Chester Chang
한글 번역	|	윤여춘
기획 · 편집	|	한인 역사박물관
		(관장 민병용)
		Korean American History Museum
		2975 Wilshire Blvd. Suite#K
		Los Angeles, CA 90010 USA
		(213) 321-0884
발간일	|	2018년 6월 15일
인쇄	|	Printron Printing Co.
		13527 S. Normandie Ave.
		Gardena, CA 90249 USA
		(310) 324-1393
가격	|	20달러

ISBN Number 978-0-692-10516-0

* 이책의 무단복사는 법에 저촉됩니다.

고공비행

한국에서 미국으로, 역경을 극복한 이야기

체스터 장

제 1 부

체스터 장 박사와 부인 완다 장
(KoreAm, photo by Eric Sueyoshi)

노숙자의
존엄을 위한
헌정(獻呈)

감사의 말씀

먼저 나의 아내 완다에게 감사를 표하고 싶다. 그녀는 40년이 넘는 세월동안 항상 내 곁을 지키며 내가 하는 일을 전적으로 성원해 주었다.

나는 두 아들을 두었다. 한국 서울에서 태어난 클레어런스와 일본 도쿄에서 태어난 카메론이다. 나는 두 아들로부터 많은 것을 배웠고 많은 것을 얻었다. 두 아들은 아내 완다와 함께 나의 해외 근무기간에 항상 나와 함께 있어 주며 내가 전진할 수 있도록 사랑과 에너지를 공급해 주었다. 이들로부터 평생 받은 사랑을 어찌 말로 표현할 수 있겠는가? 감사할 따름이다.

나의 부모님은 내가 성장하는 데 필요한 성원을 아끼지 않으셨고, 내가 대장부의 길을 걸어갈 수 있도록 기준을 정해주셨다.

내 두 동생 조지(변호사)와 마이클(의학박사)은 형제들이 해야할 일, 즉 성장과정에서의 동반자 역할을 충실히 해주었다.

특별히, 지금까지 나의 여정을 올바로 인도해준 모든 멘토들에게 감사드린다. 그 중에서도 나에게 아낌없이, 조건 없이, 베풀어주신 외삼촌 민병도씨와 외숙모 임창순씨에게 깊은 감사의 말씀을 드린다.

나의 결혼을 가능하게 해준 김영자 장모님과 신명애 사촌누님에게도 감사드린다. 두분의 도움이 없었다면 나와 아내는 결혼을 못했을지도 모른다. 내 새 며느리 니콜에게 감사한다.

나를 도와주시고 내 인생을 이처럼 풍족하게 채워주신 모든 분들에게 감사드린다.

2018년 6월 15일

많은 사랑을 담아
체스터 장 드림

책머리에

미국 정부에서 42년간 일하다. 그리고 세계를 날다

내가 누구인지 독자 여러분이 알면 놀랄지 모른다. 나는 닐 암스트롱 같은 우주인들과 척 예거 같은 위대한 항공인들에게 주어지는 특별한 상을 받았다.

그렇다고 내가 달에 날아간 것도 아니고, 달 위를 걸어 다닌 것도 아니다. 음속을 돌파하지도 못했다. 훈장을 주렁주렁 단 공군 조종사도 아니다. 하지만, 나 같은 노련한 조종사에게 적합한 은유법으로 말하자면, 나는 역경으로 꽉 막힌 삶의 상황에서도 얼마든지 높게 성공할 수 있음을 보여준 사람이라고 자부한다.

나는 한국 외교관의 아들로 여덟살에 처음 미국에 왔을 때 영어를 말하지도, 알아듣지도 못했다. 이 책을 읽는 여러분이 차차 알게 되겠지만 그것이 내가 어릴 적에 겪었던 수많은 역경 가운데 첫번째였다.

청년이 되어 항공계에 관심을 갖기 시작하면서 부딪친 또 다른 역경이 있었다. 미국 항공사에는 나 같은 유색인종 조종사가 없다는 사실이었다. 비행을 지원하는 부서 요원은 될지언정 조종사는 될 수 없었다.

이제 되돌아보면 나는 숱한 역경을 극복했다. 그럴 수 있었던 것은 몇몇 훌륭한 사람들을 만난 행운도 있지만 나 스스로 항상 적극적인 자세로 임했고, 끝까지 포기하지 않았으며, 나의 꿈과 목표를 잊지 않았기 때문이다. 아버지께서 나와 내 두 동생에게 직업윤리와 건전한 교육열을 고취시키셨다. 그 점이 우리 형제들에게 큰 도움이 됐다. 아버지는 우리에게 스스로 모범을 보여주신 분이다.

나는 조종사가 되었다. 그리고 여객기를 조종했고 마침내 기장이 되었다. 미국 연방항공청(FAA)에 취직한 후 나의 풍부한 지식과 경험을 인정받아 FAA 지정 조종사 검사관(DPE) 및 FAA 비행 기준 담당관이 되었다. 다른 조종사, 비행기 및 항공사들의 비행자격 유무를 내가 판단했다는 뜻이다. FAA에서 42년간 일하며 수많은 분야의 책임을 맡았다. 그 중 36년간은 '최고 비밀'에 접근할 수 있는 특권도 지니고 있었다.

그동안 수많은 자격증을 땄다. 그 중에는 항공사 수송담당 조종사, 비행 훈련사, 비행 엔지니어, 항공기 배치담당관을 비롯해 단발 및 복수 엔진 항공기, 지상 및 해상 비행기, 헬리콥터, 글라이더, 기구 등의 조종사 자격증도 포함되어 있다.

나는 전 세계를 넘나들며 1만 비행시간을 기록했다. 그 긴 여정을 통해 일본, 중국, 베트남 등지의 진귀한 골동품들을 수집해 우리 가족이 대를 물려온 많은 한국예술 소장품에 추가했다. 소장품이 최고 1,000점을 넘어서면서 부분적으로 기부하기 시작했다.

지난 2015년에는 '라이트 형제 마스터 파일로트상'을 받았다. 역대 수상자들 가운데는 닐 암스트롱과 척 예거 같은 우주 비행사들이 포함돼 있다. 예외적으로 골퍼 아놀드 파머도 받았다. 이 상은 교통부 산하 연방항공청(FAA)이 수여한다.

항공계에서 최고 명예로 꼽히는 이 상을 받으려면 전제 조건이 필요하다.
1. 미국 시민권을 50년간 보유해야 한다.
2. 비행에 50년간 몸담아야 한다.
3. 무사고 기록은 말할 것도 없고 FAA 규정 위반이 전무해야 한다.

이제 내가 수상했던 '라이트 형제 마스터 파일로트' 상장의 문구 일부를 인용하고 싶다: "체스터 장...항공 안전의 대의를 확장하는 데

탁월하게 끼친 귀하의 많은 공로를 기리기 위해 이 상장을 드립니다."

　내가 독자 여러분께 이런 말을 하는 것은 자랑하고 싶어서가 아니다. 여러분들도 역경과 장애물들을 극복할 수 있음을 실제로 보여주기 위해서이다.

　내가 해낸 것들을 여러분도 해낼 수 있다고 본다. 영화 'Edge'에서 "어느 한 사람이 할 수 있는 것은 다른 사람도 역시 할 수 있다'는 주인공(앤소니 홉킨스 분)의 대사처럼 말이다.

　이 책은 나에 관한 이야기이고 그 삶을 통해서 얻었던 교훈에 관한 책이다.

　그리고, 명심하시기 바란다. 여러분의 잠재력 한계는 진정으로 하늘과 그 너머까지 미친다는 사실이다. 이는 결코 진부한 표현이 아니다.

채스터 장 드림

캘리포니아주 토렌스 상공에서의 나의 첫번째 단독 비행. 7AC 기종 '챔피언'호였다. 1959년 7월이다.

차 례

차 례

아들 카메론의 결혼식 날 찍은 사진.
우리 부부는 그날 결혼 40주년을 맞이한 날이기도 하다.

제 1 장

내 인생의 예시 (豫示)

내가 맨 먼저 배운 영어는 "Hello, G.I." (안녕하세요. 미군 아저씨)이었다.

이는 여러 면에서 나의 삶과 나의 가정이 미국에서 이뤄질 것임을 예시하는 전조였다.

나는 1939년 2월 대한민국 서울에서 출생했다.

나의 한국이름은 장정기이다. 1948년 처음으로 미국 땅에 발을 디딘 곳이 캘리포니아주 로스앤젤레스였다. 아버지(장지환)께서 1년 후인 1949년 내 이름을 체스터로 바꿔주셨다. 그 이상 더 어떻게 미국화가 될 수 있을까! 왜냐하면 아버지가 골라주신 그 이름은 약간 애매모호한 인물로 알려져 있긴 하지만 제 21대 미국 대통령 체스터 아더에서 딴 것이기 때문이다.

그러나 아버지께는 체스터 아더가 애매모호하지 않았다. 한국의 초대 주미대사가 1883년 9월, 당시 대통령이었던 체스터 아더에게 신임장을 제정한 사실을 아셨기 때문이다.

우리 가족이 미국에 온 것은 아버지로부터 연유했다. 아버지는 1914년 출생하셨다. 어려서부터 향학열이 매우 높으셨다. 나이가 들어가면서 정식 고등교육을 받는 길을 찾으셨다. 그 시절 한국에서 고등교육을 받으려면 수도인 서울로 가야만 했다.

아버지는 제2차 세계대전 중 서울에서 공부하고 계셨다. 당시 한국은 일본제국주의 군대의 점령 하에 있었다. 어린 아이였던 나는 당시 상황을 실감하지 못했고, 지금도 전시 중에 일어난 일들을 자세하게 기억하지 못한다.

하지만 어린 나도 일본 제국주의 군대에 뭔가 불길한 조짐이 있음을 간파했다. 1945년 8월 우리가 살던 곳에 '변화'가 일어났다. 전쟁에 패해 항복한 일본 군인들이 '일본인은 물러가라!'는 시민들의 함성 속에 한국을 떠나고 있었다. 그리고 우리의 환호성 가운데 새로운 '이웃'이 도착했다. 미군이었다. 주둔군의 교체가 환영 속에 이루어졌다.

당시 꼬마들에게 특별히 기억나는 것들이 있다. 나의 경우 미군이 입은 군복이 너무나 멋지게 보였다. 옷에 흙이 좀 묻어 있어도 근사했다. 미군이 신은 검정색 군화와 지프차도 눈길을 끌었다. 지프차 발받침대 위로 다리를 걸치고 탄 미군들의 군화가 더욱 돋보였다. 모든 미군들이 한결같이 엄지손가락을 치켜세우고 "우리는 G.I."라고 소리쳤다. 나중에 그 G.I.들이 우리들 꼬마에게 초콜릿 케이크 따위의 레이션 일부를 나눠줬다.

제2차 세계대전이 끝난 뒤 아버지는 한국정부의 수산국에 취직하셨다. 당시 한국은 이승만 초대 대통령이 취임후 신생 대한민국 정부가 통치하고 있었다. 아버지는 교육수준이 높고 다국어 소통능력이 있는데다가 공무원 출신이라는 점을 인정받아 한국정부의 최초 외교관들 가운데 한명으로 발탁되셨다.

아버지가 맡은 임무는 로스앤젤레스에 한국 최초의 총영사관을 설립하는 일이었다. 결국 캘리포니아주 로스앤젤레스에 총영사관이 세워졌고 양국관계 업무를 처리하게 되었다. 어머니와 우리 삼형제는 6개월 뒤인 1948년 12월 아버지와 합류했다.

아버지는 '교육'을 주문을 외우는 것 처럼 강조하셨다. 그래서 해외에 나가 세상 돌아가는 것도 배우시게 되었다. 나는 아버지가 한국 말로 "배워라, 배워라. 배우지 않으면 세상을 모른다"고 입버릇처럼 하시는 말씀을 들으며 자랐다.

우리 가족은 한국정부가 남가주대학(USC) 인근 맥클린톡 애비뉴에 마련해준 안락한 4베드룸 단독주택에 보금자리를 틀었다.

아버지(장지환)와 어머니(민병윤)가 1949년 1월 LA총영사관 앞에서 찍은 사진

어머니 그리고 두 동생과 함께 로스앤젤레스 집 앞에서.

융화는 되었지만 동화되지는 못했다.

　　당시 로스앤젤레스에는 작은 이민교회가 2개 있었을 뿐 진정한 의미의 한인사회가 구성돼 있지 않았다. 나는 미국에 도착한 후 즉시 융화됐지만 동화되지는 못했다. 좀 더 자세히 얘기하자면, 나는 곧바로 32가 초등학교에 2학년생으로 편입이 되었다. 하지만 조그만 문제가 있었다. 나는 영어라고는 '헬로 G.I.' 외에 다른 말을 한 마디도 못했다. 더욱 난처한 것은 한국말을 하는 사람이 하나도 없었다는 점이다. 내 인생의 첫 역경에 봉착한 것이다.

　　나는 나이 여덟살에 또래들에 뒤진다는 열등감을 느끼게 됐다.

선생님은 내가 영어를 말할 수 있기를 기대했지만 그것은 내게는 지나친 기대였다. 지금 돌이켜봐도 우스꽝스럽다. 도대체 영어를 어떻게 그렇게 마술처럼 익힐 수 있단 말인가? 당시 나에게 닥친 곤경을 그런 식으로 해결해 나갈 수는 없었다.

그 학교는 완전한 백인학교였다. 내가 유일무이한 유색인종이었다. 왕따를 당했거나 푸대접을 받은 기억은 없다. 그래도 다소간 무시당한다는 느낌 때문에 마음이 괴로웠다. 영어를 못하기 때문에 급우들과 사귀거나 미국문화를 배우는 데 어려움이 따랐다.

영어소통 능력이 없으면 가족 외에는 누구와도 시간을 함께 보낼 수가 없었다. 나의 영어 습득 과정은 느리게 진척됐고, 순전히 나혼자 해결해야 하는 과제였다. 죽기 아니면 살기였고, 가라앉기 아니면 헤엄치기였다. 물론 아버지는 영어를 하셨지만 어머니는 아니셨다.

요즘 상황은 완전히 다르다. 외국 유학생들을 보면 알 수 있다.

32가초등학교 2학년 때 성적표

그들은 미국에 도착한 후 전혀 다른 과정을 거친다. 내가 겪은 곤경을 피할 수 있도록 여러 단계가 마련되어 있다. 우리 때는 그렇지 않았다. 무작정 학교에 보내졌고 오리엔테이션도, 적응기간도 주어지지 않았다. 지형도 모른 채 맨땅에 추락해 달려가야 하는 형국이었다.

그런 고립감은 사람을 마음속에서 파멸시킨다. 도대체 친구가 없다. 내가 융화는 되었지만 동화되지 못했다고 한 말은 급우들과 어울렸지만 고립됐다는 뜻이다.

역설적이지만, 나는 영어를 못했는데도 10살 때 첫 직업을 가졌다. 로스앤젤레스 타임스의 평일판과 일요판을 모두 배달하는 일이었다. 일요판이 어찌나 무거웠던지 지금도 기억이 생생하다. 특히 자전거를 타고 언덕길을 올라갈 때 그랬다. 하지만 내가 파트타임 직업을 가졌다는 점과 신문배달 책임을 맡았다는 점이 기뻤다.

제 2 장

문을 두드리는 소리

우리 가족은 1950년 한국으로 귀환하기 위해 출국수속을 준비 중이었다.

그러나 그해 6월 25일 한국전쟁이 발발함에 따라 모든 교통수단이 민간인 승객들을 한국으로 수송하지 않게 됐다. 다른 모든 사람들과 똑같이 우리 가족도 충격을 받고 혼란에 휩싸였다. 아버지가 한국으로 돌아갈 방편을 백방으로 알아보고 있던 어느 날 미국 이민국 요원들이 우리 집 현관 문에 나타났다.

그렇게 우리 가족의 평온한 생활은 그 날 현관문을 두드리는 불길한 소리와 함께 바뀌었다. 아버지가 문을 열자 연방 이민국 수사관들이 거기 서 있었다.

수사관들은 몇마디 대화를 하고는 아버지에게 수갑을 채우려들었다! 어린 아이였던 내게는 몹시 겁나는 장면이었다. 아버지는 이들에게 가까스로 항변해서 수갑을 면했고, 얼마간 시간을 벌었다. 나는 도대체 전후사정을 알 수 없었지만, 아마도 아버지가 외교관 출신이라는 점이 감안되지 않았나 싶었다.

그 며칠 후 나와 우리 가족은 캘리포니아주 롱비치의 이민국구치소에 수감됐다. 그곳은 '즐거움'이 뭔지 전혀 모르는 사람들이나 견딜 수 있는 그런 감옥이었다. 철창이 앞을 가로막고 있었다. 당시 열살이 넘었던 나는 구금자들이 운동을 위해 감방 밖으로 나오는 시간에도 홀로 떨어져 있어야 했다.

아버지는 양자택일의 기로에 서시게 됐다. 전쟁으로 폐허가 된 한국으로 돌아가거나(혹은 수단껏 길을 찾아 제 3국으로 가거나), 아니면 미국에 체류하되 이민법 위반자로 수감되는 것 중에 하나를 선택해야 했다.

아버지는 미국에 남는 쪽을 택하셨다. 나는 아버지의 진의를 정확하게 몰랐지만 아마도 그분은 미국에 '깃발을 꼽고' 역경을 견디어나갈 속셈이셨던 것 같다. 심지어 아버지는 선조들이 각각 아버지와 어머니에게 물려주셨던 한국예술 소장품들을 당시 남가주의 유력한 한인이었던 송철씨에게 맡기셨다. 송씨는 나중에 복숭아의 일종인 넥타린(Nectarine) 제품을 창안해서 판매를 했다.

내 생각에 아버지가 그렇게 손쓰신 것은 우리 가족이 앞으로 아무리 험한 역경에 부딪치더라도 모두 극복하고 미국에 정착하겠다는 결심의 또 다른 표징이었던 것 같다.

아버지는 외교관 모임이 열릴 때 손님들과 대화의 공통분모를 마련하기 위해 한국 도자기와 산수화 등 소장품을 선보이시곤 하셨다. 문화배경이 각각 달라도 많은 사람들이 예술에 관한 식견을 갖고 있기 때문이다. 아버지는 새로 알게 되는 미국인들에게도 한국의 전통예술에 관해 설명하는 것을 즐기셨다.

나이가 어렸지만 나 자신도 코카콜라 병과 야구경기 카드 따위의 물품들을 수집하기 시작했다. 야구경기의 광팬은 아니었지만 다른 아이들이 카드를 즐겨 모으는 것을 보고 나도 따라서 했다. 그렇게 해서 예술품을 수집하려는 욕구가 서서히 마음속에 자라게 되었다.

'농장 노동수용소' 생활

롱비치 구치소에서 약 한달간을 지낸 우리 가족은 캘리포니아 주 컬버 시티에 있는 농장 노동수용소로 보내졌다. 배추를 비롯한 채소들이 경작되는 농장이었다. 우리가 살 집은 계절 이주 인부들을 위해 지어진 방갈로였다. 다른 가족들도 살고 있었다. 나는 가방 두 개를 잇대어 놓고 위에 매트리스를 얹은 '침대'에서 잤다. 부엌과 화장실은 이웃들과 공동으로 사용했다.

나는 이민당국이 우리를 집단 수용한 목적을 정확하게 파악할 수 없었다. 어린 내가 추측할 수 있었던 가장 그럴듯한 목적은 사람들을 그렇게 한 곳에 모아 놓음으로 감시하기가 쉬웠기 때문이라는 것이다. 우리가 사는 농장에 이따금 이민국 요원들이 방문했고, 농장 담당자들도 찾아와 우리들의 노동실적 보고서를 작성했다.

나는 나이가 어렸지만 가족 밥상을 도맡아 차리곤 했다. 어머니(민병윤)는 새벽에 밭에 나가 일하셨기 때문에 내가 대개 아침 밥상을 준비했고 다른 끼니도 마련해놨다가 나중에 가족과 함께 먹었다. 당시 나의 특기는 스팸과 달걀 요리(지금도 즐긴다)를 비롯해 쌀밥, 쇠꼬리 곰탕 및 한국인의 필수 반찬인 김치 등이었다.

아버지는 이민국에 진정하셔서 나와 두 동생이 인근 쇼트 애비뉴 초등학교에 편입할 수 있도록 허락을 받으셨다. 그래서 내 생활은 아침 식사당번, 낮 학교수업, 귀가 후 2~3시간 농장 일 거들기로 바뀌었다.

저녁식사 준비는 어머니께서 직접 하셨다. 어머니 음식이 얼마나 맛있었던지! 배추국과 깍두기를 비롯한 맛있는 반찬들이 식탁을 채웠다. 우리 가족은 이따금 쌀밥에 햄버거를 먹기도 했다. 저녁식사 후 설거지는 내 몫이었다.

주말에는 이민국 요원의 사전허가를 받아 극장구경을 갈 수 있었는데, 그나마 오후시간으로만 제한됐다.

그 무렵 두 동생에게 미국이름을 지어주었다. 조지(중기)와 마이클(문기)은 각각 7살과 5살로 새로운 환경에 잘 적응했다. 하지만 나는 그렇지 못했다. 매일 농장 일을 거들어야 했기 때문이다. 방과 후 학교에서 뛰놀아야 친구들도 사귈 텐 데 나는 그럴 시간이 없었다. 영어가 서툴렀기 때문에 공부 자체가 힘들었다.

약 1년이 지나자 웬일인지 이민당국이 우리 가족에게 6개월 집행유예 기간을 허락했다. 농장에서 일하지 않아도 되는 자유 기간이었다. 이 유예기간 동안 우리 가족은 아파트에서 살았고 나는 다운타운 인근의 존 아담스중학교에 다녔다. 그 때가 1952년 무렵이었다. 내 영어실력은 조금 늘었지만 글은 여전히 읽지 못했다.

우리가 이 기간을 재정적으로 견뎌낼 수 있었던 것은 아버지가 예전에 적립해둔 저금 덕분이었다. 액수가 많지는 않았지만 살아가기에는 충분했다.

우리 가족은 새로 얻은 '자유' 속에서 이따금 중국식당에서 외식까지 했다. 한국음식과 가장 비슷한 맛을 즐길 수 있는 곳이었다. 새 옷도 샀다. 거의 예전 모습으로 돌아간 듯 했다. 하지만 우리는 늘 농장으로 돌아갈 준비를 하고 있었다. 이민국이 정한 시계가 재깍재깍 돌아가고 있음을 알고 있었기 때문이다.

아버지가 끔찍이 사랑하셨던 여동생(리사)이 우리 가족의 집행유예 기간 동안 많은 시간을 우리와 함께 지냈다. 고모는 20대 초반이었던 1947년 노동비자로 미국에 건너오셨다. 집행유예의 종료시간이 임박하자 아버지와 고모는 다가오는, 그리고 피할 수 없는, 이별에 관해 많은 얘기를 나눴다. 우리 가족은 이곳에 외교관 비자로 머물러 왔기 때문에 추방대상 신분이 된 것이다.

물론 어머니와 두 동생들도 그 것을 알고 있었다. 얘기하지 않았을 뿐이다. 우리는 농장생활로 복귀해야할 시간, 고모와 이별해야 할

왼쪽부터 리사 고모, 마이클, 아버지, 어머니, 조지, 그리고 나.

시간이 임박했음을 알고 있었다. 마치 먹구름이 우리들 머리 위에 드리워져 있는 듯한 기분이었다.

아버지는 집안의 맏아들로 태어나셔서 남동생 및 여동생과는 구별되게 자라셨다. 아버지는 할아버지에게 미국에서 여동생 리사를 돌봐주겠다고 약속하셨다. 이제 농장 노동수용소로 돌아가 리사 고모를 더 이상 돌봐줄 수 없게 된 아버지는 크게 상심하셨다. 할아버지와의 약속을 이행할 수 없을뿐더러 누구에게, 또는 어디에 도움을 호소해야할지 몰라 마음이 쓰라리셨다.

리사 고모는 나중에 샌프란시스코 인근 프레시디오에서 미군 장병들에게 한국어를 가르치는 풀타임 직업을 갖게 되었다. 당시 프레시디오에는 미군기지 본부가 있었다.

우리가 추측했던 대로 집행유예 '파티'는 6개월만에 끝났다. 곧이어 이민국 요원들이 또 문을 두드렸고, 우리는 또다시 롱비치 구치소에 수감됐다가 이번에는 오리건주 포틀랜드로 옮겨져 또 다른 농장

생활을 시작하게 되었다.

당시 나와 내 두 동생은 학기 중간이었지만 이민당국은 전혀 아랑곳하지 않고 이주 명령을 내렸다. 우리가 알아서 하라는 식이었다. 이민자들은 이런 생활패턴에 익숙해지기 마련이었다.

포틀랜드에 사는 동안에는 학교에 가지 못했다. 그 때 나이가 겨우 14살 정도였지만 나는 풀타임 이주 노동자로 농장에서 일해야 했다. 그 농장에선 배추, 상추, 딸기, 라즈베리 등이 재배됐다.

그곳에서의 내 생활은 요리하기, 농장일하기, 청소하기로 이어졌고, 잠 잔 뒤 아침에 일어나 다시 일을 시작했다. 정확하게 똑같은 일이었다. 누구나 다양한 생활을 원하겠지만 그 농장은 그런 것들을 바랄 장소가 못되었다.

나는 노동수용소의 최우수 일꾼이었다. 채소처럼 나 자신도 빠르게 성장했다. 언젠가 한번은 젊고 아리따운 어머니가 남자 인부들에게 희롱당하는 것을 목격하고 그들에게 대들었다. 몸싸움이 벌어지지는 않았지만 나는 만약 사태가 악화될 경우 힘으로 대응할 준비가 돼 있다는 느낌을 갖게 됐다. 그 때 상황이 확대됐더라면 어떤 일도 해낼 만큼 나는 극도로 화가 나 있었고 울분에 차 있었다.

어머니는 그 때 희롱을 당하신게 처음이 아니었고, 내가 싸움에 연루된 것도 처음이 아니었다. 한번은 남자 인부 몇명이 나에게 달려들었다. 하지만 십장이 뜯어말리는 바람에 격투가 벌어지지는 않았다.

그로부터 6~8개월이 지난 후 우리 가족은 이민당국이 경비를 마련한 서북미 '여행' 스케줄에 따라 이번엔 워싱턴주 시애틀로 여정을 계속했다. 그 곳에서 4개월간 모텔에 묵으며 새 농장에 배치되기를 기다렸지만 끝내 차례가 오지 않았다. 아버지는 수소문하셔서 나를 시애틀의 한 중학교에 편입시키셨다.

제 3 장

온가족, 한국으로

한국전쟁이 1953년 휴전협정으로 총성이 멎게 되자 우리 가족의 미국생활도 종지부를 찍게 됐다. 이민국 요원이 찾아와서 우리 가족을 모아놓고 이제 전쟁이 끝났으니 한국으로 떠나라고 압박했다. 우리 가족은 한국으로 가는 화물선에 짐처럼 실려졌다. 화물송장에 기록된 유일한 승객들이었다.

나는 US 프레지던트 해운회사의 캘리포니아 베어호 화물선을 타고 밤중에 시애틀 항을 떠나면서 아름다운 도시의 불빛을 바라봤던 기억이 지금도 생생하다. 그렇게 우리는 칠흑 같은 망망대해로 빠져나가고 있었다.

내가 매우 어린 나이에 농장인부로, 더구나 노동수용소에 징용당한 인부로 일한 경험은 앞으로 내가 어떤 환경에 처하더라도 주어진 일을 해낼 수 있다는 확신을 갖게 해주었다. 사람들은 나이 어린 내가 채소를 밤낮없이 수확하고 또 수확할 것으로 기대했다. 그렇게 해서 나도 기여자가 될 수 있다는 것을 알게 됐고, 인내심을 길러야한다는 것도 배우게 됐다.

나는 농장에서 일하시는 어머니 모습을 눈여겨봤던 것을 기억하고 있다. 어머니는 그 어려운 고난의 시기에 농장 일을 하면서 아버지를 적극적으로 도우셨다. 어머니는 나에게 매사에 적극적이고 최선을 다해야 함을 실천으로 보여주셨다.

화물선을 타고 가는 동안 나의 마음은 평온했다. 그동안 영어실력이 약간 늘었다는 것과 미국에 살면서 겪은 갖가지 경험 덕분에 나는 미국 땅에 처음 도착했을 때보다 더 큰 자신감을 가지고 떠날 수 있었다.

화물선을 타고 한국으로 가는 3주간의 여정은 나에게 삶에 관해 엄청나게 많은 것을 가르쳐줬다. 거기서도 나의 영어습득은 계속됐다. 화물선의 미국인 선장은 나를 매우 친근하고 좋게 대해주었다. 그는 나를 데리고 돌아다니며 기관실 등 선박 견학까지 시켜줬다. 선장은 곧 나의 멘토가 됐다.

시애틀에서 부산(현재는 부산광역시)까지의 항해는 나에게 매우 평화스럽고 보람 있는 여정이었다. 무엇보다도 내가 누구인지 정체성을 터득하기 시작한 기간이었다.

그 때 내가 몇가지 일에 능력이 있음을 깨달았다. 미국인 선장은 나에게 관심을 가지고 여러가지로 격려해줬다. 그는 내가 원하기만 하면 선장까지도 될 수 있다고 말했다. 실로 대단한 멘토였다. 그는 나에게 일상생활의 여러가지 에티켓도 가르쳐주었다.

다시 이방인이 되다

우리 가족이 탄 화물선은 항해를 끝내고 부산에 도착한 뒤 항구 밖에서 나흘간 대기해야 했다. 항구가 이미 많은 화물선과 미국 및 한국의 군함들로 만원사례였기 때문이다. 전쟁이 막 끝난 상태여서 부두와 시내 거리는 피난민들이 넘쳐흘렀다. 북한 사람들도, 남한 사람들도 전쟁으로 폐허가 된 고향을 등져야 했다. "내가 이제 캔자스에 있지 않은 것이 분명해"라는 영화 '오즈의 마법사'에 나오는 유행어 대사가 실감 났다.

부산엔 천막이나 방갈로조차 없는 피난민들이 수두룩했다. 애당초 보금자리가 없는 땅이었다. 그렇지만 피난민들에게는 부산이 마지막 안식처였다. 목숨을 걸고 공산당 치하를 탈출했기 때문이다.

　　당시 38선 남쪽의 남한 깊숙이까지 침공해 왔던 북한 인민군과 중공군은 더글러스 맥아더 장군의 인천상륙작전으로 퇴로가 막히고 고립됐다. 이들은 사력을 다해 38선 북쪽의 북한 땅으로 퇴각하면서 남한 군경과 많은 무력충돌을 빚어냈다.

　　우리 가족은 처음 당분간은 피난민 임시수용소에서 살았다. 그러다가 운 좋게도 외삼촌 집으로 옮겨 갔다. 그 집에 15명이 북적거리며 살고 있었다. 우리도 방세를 내고 살았다.

　　부산에 도착한지 2~3개월이 지난 후 우리는 일가친척이 모두 이산가족이 되었음을 알게 됐다. 외가 쪽 가족 일부는 찾아냈지만 아버지 쪽 가족은 부산에는 없었다. 우리는 다른 이산가족들이 하는 방식으로 우리 가족들의 행방을 수소문했다. 피난민들이 부산에서 80마일 떨어진 대구와 250마일 정도 훨씬 북쪽인 오산에도 몰려 있다는 말을 들었다.

　　서울에서 내려온 피난민들 중 일부는 수복 후 즉각 돌아가지 못했다. 그래서 서울 남쪽과 부산 북쪽의 중간지역에 몰려 있던 피난민들은 북한군과 중공군 게릴라들의 학살위험에 노출돼 있었다.

　　일가친척의 행방과 안전을 수소문하던 아버지는 중대한 소식을 들었다. 많은 군인들이 유엔 연합군에 의해 사천 공군기지에 징집돼 있다는 것이었다. 아버지는 동생 장성환이 한국 공군에 입대해 전투기를 조종하고 있다는 사실을 알아냈다.

　　성환 삼촌은 제 2차대전 전에 개인적 취미로 글라이더 제작 일에 관여했었다. 제 2차대전 후엔 연합군사령부의 건설 청부업자가 되어 주택과 상가건물의 보수 및 재건공사를 맡았었다. 아버지는 하지만, 사천 공군기지에 있는 삼촌의 계급과 담당 업무를 알지 못했다.

그 뒤 우리는 사천 공군기지로까지 삼촌을 찾아가 만났다. 고작 30마일 거리지만 도로가 진흙구덩이인데다가 버스도 고물이었기 때문에 온종일 걸렸다. 우리는 기지 초병에 의해 억류됐다(하지만 억류가 몸에 밴 나와 우리 가족에겐 대수롭지 않았다). 삼촌이 기지 정문으로 나와 우리 가족을 맞아주셨다.

아버지와 삼촌은 한동안 재상봉의 감격을 나누었다. 삼촌은 다른 군인들이 보는 앞에서 눈물을 흘리지 않기 위해 격정을 누르고 있었다. 내가 결코 잊지 못할 순간이었다. 우리가 살아있는 가족 한명을 찾아낸 것이었다!

우리는 삼촌의 막사로 가서 시간 가는 줄 모르고 얘기하며 회포를 풀었다. 아버지와 삼촌은 다른 흩어진 가족들에 관해 얘기했다. 특히 아버지는 여동생 리사를 홀로 미국 땅에 남겨두고 온 슬픈 사연을 삼촌에게 들려줬다.

삼촌은 아버지에게 자신의 근황을 설명하기 시작했다. 글라이더 경험이 조금 있었기 때문에 한국전이 발발한 며칠 뒤 한국공군에 자원입대했고, 곧 일본으로 건너가 P-51 머스탱 프로펠러 전투기 10대를 인수해올 첫 조종사 10명 중에 포함됐다고 했다.

그런데 어처구니없게도 이들 조종사는 겨우 4일간 P-51 머스탱 조종훈련을 받은 뒤 곧바로 전투에 투입됐다. 첫 한 달간 전투에서 4명이나 전사했다. 슬프지만 예상했던 사태였다. 이들은 상대적으로 경험이 많은 북한군 조종사들이 모는 Mig-15에 격추 당했다. 도대체 살아남기를 기대할 수 없는 상황이었다.

미군의 P-51 머스탱은 제2차대전 중 최고성능을 인정받은 전방위 전투기였다. 위대한 항공사용 전투기 조종사였던 척 예거가 2차 대전 중 바로 P-51B 전투기를 몰았었다.

하지만 삼촌은 프로펠러 머스탱을 조종하면서 용케도 Mig-15 와 멋지게 공중전을 벌였다. 그런 실력을 갖춘 조종사들이 매우 드물었다. 당시 사천 공군기지는 한국파병 연합군을 수용하고 있었다. 아버지와 삼촌은 미국에 남겨둔 여동생의 안위가 몹시 걱정됐다. 삼촌과 며칠간 즐거운 시간을 보낸 우리 가족은 다시 부산으로 돌아와 피난민 생활을 했다.

나는 미국에서 살 때 줄곧 나를 괴롭혔던 열등의식에 이제 더 이상 시달리지 않게 됐다. 오히려 그 반대 상황이었다. 우선, 나는 영어를 약간 할 수 있었다. 이는 나에게는 매우 큰 강점이었다. 영어를 할 줄 아는 사람이 없었기 때문이다.

당시 미군은 통역사들이 필요했다. 그래서 영어를 한다는 것이 프리미엄이었다. 더구나 통역사로 돈을 버는 사람들조차도 나보다 영어를 못했다. 엉터리 영어라도 보배 대접을 받았다. 나도 통역사 제의를 받았다. 하지만 거절했다. 나는 당시 직업이 아닌 교육이 필요한 아이였기 때문이다. 그래도 나의 가치는 올라간 셈이었다. 내가 통역사 제의를 받아들였더라도 교육 최우선주의자이신 아버지는 발을 구르며 반대하셨을 것이다.

내가 부산에 도착한지 두달만에 경기중학교에 입학한 것은 큰 행운이었다. 내가 합격한 이유는 아이러니하게도 나의 영어실력 덕분이었다. 학교 측은 나에게 영어시험을 보게 했다. 당시 내가 영어를 얼마나 할 줄 알고 알아듣는지 나 자신도 몰랐다. 그건 훗날 서울에 올라온 뒤에야 알았다. 어쨌든 나의 약점이 나의 강점이 된 셈이었다.

내가 들어간 경기중학교는 20여개의 올리브색 천막들로 이뤄져 있었다. 천막은 천막일 뿐 건물이 아니었다. 예를들어 비가 오는 날에

경기중학교 54회 졸업사진. 1953년 부산에서 찍었다.
위로부터 2번째줄의 오른쪽 끝이 나이다.

는 비와 수증기 때문에 칠판 글씨를 알아보기 어려웠다.

당시 담임교사이자 저명한 현대미술가였던 박상옥 선생님이 나의 새로운 멘토가 됐다. 그분은 외삼촌과 절친한 사이였다. 박 선생님은 나에게 한국의 미술작품에 관한 그의 해박한 지식을 비롯해 실로 많은 것을 가르쳐주셨다. 아마도 내 생애에서 생존 그 자체 외에 다른 무엇인가에 관심을 갖게된 것은 그 때가 처음이었던 것 같다. 그 때 가진 관심이 내가 성인이 된 후 줄곧 한국 예술품에 관해 배우게 된 계기가 되었다.

피난지 부산에서 보낸 1년반 정도의 기간은 나에게 내가 누구인지, 더 중요하게는 내가 지향하는 길이 무엇인지를 조금이나마 깨닫게 해줬다.

그러면서도 미국에서 겪었던 여러 경험들을 하루도 생각하지 않은 날이 없었다. 나의 혈통은 한국인이지만 미국화 돼 있었다. 미국에서 보낸 세월이 분명히 역경의 연속이었는데도 그랬다. 부산에서 살 때 시간이 나면 송도 해수욕장 인근의 미군부대를 찾아가곤 했다.

내가 미국에서 즐겼던 음식을 거기서 맛볼 수 있었다. 내 영어실력이 쑥쑥 늘어나기 시작했다. 미군부대엔 나이가 18~19세로 나보다 그리 많지 않은 병사들이 많았다. 그래서 그들과 동료의식을 가질 수 있었다. 그에 더해 내가 최근 미국에서 돌아왔다는 점도 한 가지 공통분모가 됐다. 이들과 어울리기 전에는 내가 영어로 미국인들과 얼마나 쉽게 교제할 수 있는지를 몰랐었다.

당시 부산에서 나는 또 한차례 생존문제에 봉착했다. 하지만 미국에서 겪었던 역경과는 전혀 다른 새로운 경험이었다. 미국에선 농장인부로 징집되어 살았지만 하루 삼시세끼는 거르지 않고 먹었고 잠도 침대나 벙크에서 편히 잤다. 미국에선 '내일'이 항상 보장되어 있었다. 전쟁으로 폐허가 된 한국에선 다음 날을 기약할 수 없었다. 삶이 하루단위로 이어졌다.

부산에서 1년 반을 살고 난 뒤인 1954년 기차를 타고 서울에 갈 수 있게 되었다. 서울에는 아버지 집이 있었다. 나는 그해 경기중학교를 졸업했다. 우리 가족은 서울로 떠났다.

1957년 서울에서 찍은 마지막 가족 사진.

서울로 가는 기차여행은 참으로 끔찍했다. 차창 밖에 널려진 잔학상을 볼 수 있었다. 앞에서 말한 것처럼 38선 남쪽에 갇힌 공산군 게릴라들이 벌인 만행이었다. 빨치산으로 불린 이들 게릴라는 산 속에 숨어 있다가 마을로 내려와 기관총으로 양민들을 학살했다.

서울에 올라와보니 전쟁 중 엄청난 지상 및 공중폭격으로 파괴된 건물들이 무너져 땅이 평평해 보였다. 원자폭탄을 맞지 않았지만 히로시마나 나가사키와 흡사했다.

휴전협정이 체결됐지만 서울에는 믿을 수 없을 만큼 무수한 위험이 도사리고 있었다. 고립된 빨치산들의 습격 외에도 부비트랩(위장 폭탄)이 널려 있어 조심해야만 했다. 북한 인민군은 서울에서 퇴각하기 전에 민간인들의 안전을 고려하지 않고 위장 폭탄을 마구잡이로 설치해 놨다. 아무 것도 함부로 손 댈 수 없었다. 특히 산간지역과 논이 위험했다. 땅에 매설한 지뢰는 더욱 무서운 존재였다. 우리가 걸어다니는 도로의 안전을 위해 군인들이 지뢰탐지기로 검사하는 모습을 자주 볼 수 있었다.

아버지가 통역사로 취직하셨다. 어머니는 처음에는 나와 두 동생들을 뒷바라지하려고 집에 계시다가 나중에 서울의 미군본부 식당에 보조 조리사로 취직하셨다. 어머니는 부대 식당의 부엌에서 일하면서 맛있는 냄새를 맡는다며 미국음식과 미국인들을 접하는 기분이 천국 같았다고 말씀하시곤 했다.

서울에 올라와서 내가 작심하고 맨 먼저 한 것 중 하나가 태권도를 배우는 것이었다. 나는 어머니가 농장에서 희롱당하시던 모습을 떠올리고 어머니, 또는 내가 사랑하는 다른 어느 사람의 보호자로서도, 내가 또 다시 속수무책의 상태가 되지 않겠다는 각오였다.

태권도를 수련하면서 자신감이 늘어났다. 어떤 색다른 일에 내가 소질이 있음을 알게 되면 생활의 모든 분야에 영향이 주어진다. 내

제 34회 전국체전 유도경기 준우승 기념.
나는 그 후 태권도로 종목을 바꾸고 유단자가 됐다.

가 17세가 됐을 때 검은 띠를 땄다.

　내가 진학한 경기고등학교 역시 천막교실을 사용했다. 당시 한국의 모든 고등학교가 그랬듯이 경기고교 역시 사관학교를 본 딴 준군사학교였다. 우리는 국가의 최후 방어선으로 양성됐다.

　회화와 도자기 등 한국의 전통예술에 관한 나의 관심은 계속 이어졌고 더나아가서 한국 예술사를 공부하기에 이르렀다.

융화는 되었지만 동화되지는 못했다

　나는 고국에 돌아왔지만 고향이 아니었다. 미국이 그리웠다. 영화관에 가서 호프알롱 캐시디, 론 레인저, 애봇과 코스테요 등 영화를 구경한 사소한 일들까지 회상됐다. 핫도그가 먹고 싶었고 로스앤젤레스가 그리웠다. 내가 미국을 떠났을 때는 이처럼 미국이 그리울 줄 몰랐는데 막상 닥치고 보니 사무쳤다. 무엇보다도 이처럼 전쟁으로 폐허가 된 위험한 땅이 아닌 안전한 미국 땅이 그리웠다.

아버지의 계획이 궁극적으로 미국에 돌아가는 것인지를 나는 몰랐었다. 하지만 한 가지 의문은 머리를 떠나지 않았다. 만약 아버지가 애당초 미국으로 돌아갈 생각이 없었다면 왜 한국 골동품들을 로스앤젤레스의 초기이민자 송철씨에게 맡겨두었을까 하는 점이었다.

마침내 아버지가 로스앤젤레스로 돌아갈 것이라고 가족에게 알렸다! 나의 꿈이 실현된 듯 싶었다. 아버지는 주한미국대사관으로부터 미국정부가 처음으로 공식 발급한 가족이민 비자를 받으셨던 것이다!

우리는 비행기를 타고 '고향'으로 날아가게 됐다.

제 4 장

미국으로 이민, 그리고 비행을

우리 형제의 교육에 신경을 많이 쓰신 아버지는 미국 학교가 새학기를 시작하기 전에 우리가 도착할 수 있도록 로스앤젤레스 귀환일정을 잡으셨다.

아버지는 미국에 도착한 직후 광역 로스앤젤레스 도시교통국(MTA)에 엔지니어로 취직하셨다. 우리가 지난번 로스앤젤레스에 체류하는 동안 남가주대학(USC) 야간학부에서 엔지니어링을 공부하셨다. 아버지는 80세에 별세하실 때까지 MTA에서 일하셨다.

어머니도 이제는 일을 하셨다. 우리가 귀환한지 두어 달만에 치즈공장에 취직하셨다. 하지만 그 치즈공장은 불행히도 어머니가 입사한지 2년 후 문을 닫았다. 어머니는 새롭게 공부하셔서 미용사가 되셨고, 80세에 은퇴하실 때까지 그 일을 계속하셨다.

나도 낭비할 시간이 없었다. LA하이스쿨(LAHS)의 여름방학 보충수업반(서머스쿨)에 등록해 가을에 시작될 새학기에 대비했다. 내가 LA하이스쿨 정규교실에 처음으로 걸어 들어갔을 때 나는 난생처음으로 자신감을 가지고 머리를 똑바로 치켜들 수 있었다. 나는 같은 해 LA 시청에서 열린 학생웅변대회에서 1등을 차지했다.

나는 입학 직후 영어웅변반의 메리 스나이더 교사와 선이 닿았다. 스나이더 교사는 나에게 영어에 관한 모든 것을 가르쳐주신 분이다. 그전까지 영어를 기능적으로만 배웠던 나에게 스나이더 교사는 진정한 영어회화 방법을 이해시켜 주셨다. 웅변에 심취한 나는 LA하이스쿨에 입학한 지 1년도 채 안돼서 UCLA에서 열린 웅변대회에서 1등을 차지했고, 이어 사우스다코타주 수 폴스에서 열린 전국 변론연맹 주최 웅변대회에 캘리포니아주 대표로 출전했다. 실로 대단한 영예였다!

당시 나의 웅변제목은 "무엇이 미국의 올바른 점인가"였다. 내가 미국에서 겨우 첫해를 거치고 있었다는 점을 감안할 때 내가 왜 그런 제목과 주제를 택했는지 의아해할 분도 있을지 모르겠다. 중요한 것은 내가 당시 미국에 살고 있었지만 전쟁으로 폐허가 된 한국에서도 살았었던 것을 염두에 둬야한다는 점이다. 한국과 미국을 핑퐁처럼 왔다갔다 하면서 나는 두 나라 사이에 비교되는 점과 상반되는 점이 있음을 깨닫게 됐다.

간단히 말해서 미국에서는 국민들이 가장 순수한 형태의 민주주의를 향유하고 있었다.

당시 LA의 한 지역신문은 나의 웅변에 관해 다음과 같은 내용의 논평기사를 게재했다.

"체스터는 웅변을 통해 미국인들의 생활방식을 외국, 특히 전쟁으로 찢긴 한국과 비교하는 기회를 포착했다…체스터의 웅변은 미국인들로 하여금 그들의 가장 고귀한 선물인 자유를 다른 나라 사람들과 공유함으로써 그들에게 용기를 주고 힘을 강화하도록 도전의식을 주고 있다."

"체스터는 미국이 전세계의 희망이라고 믿는다. 하지만 그런 이유 때문에 미국인들이 다른 나라 사람들로 하여금 우리를 바라보며 우리의 막중한 자유를 부러워하도록 할 권리는 없다고 강조했다."

"체스터는 마찬가지 이유로 억압받는 나라 사람들이 우리로 하여금 자유를 상실하도록 요구할 권리도 없다고 지적했다."

"체스터는 자유가 폭정을 물리치고 승리를 쟁취한다며 오늘날 미국인들의 정의가 언젠가 세계의 정의가 될 날이 올 것이라고 강조했다."

LA하이스쿨에서 공부한 1년은 짧았지만 보람이 컸다. 미국에 돌아왔다는 것 자체가 그랬다. 이제 나는 남가주대학(USC)에 진학했다. 나의 전공과목은 국제관계학(IR)이었다. 나는 공부와 새로운 환경에 적응하는 데만 전력을 기울였다.

나 자신 새로운 환경에 잘 적응하는 것으로 느껴졌다. 많은 시간을 들여 ROTC와 기타 선택과목들을 공부했다.

하늘을 날다

드디어 나는 항공사가 되겠다는 꿈을 성취할 첫 걸음을 18세 때 내디뎠다. 캘리포니아주 호손에 있는 항공학교에서 비행 과목을 배웠다. 그 때 수업료는 우리 가족이 농장에서 일했을 때 아버지가 나를 위해 적립했던 돈으로 충당했다. 당시 우리 가족은 한사람 단위로 명목상의 임금을 지급받았다. 나는 나이가 어렸지만 농장 전체에서 최고수확 농부의 영예를 받았고, 아버지나 어머니보다도 더 많이 수확해 돈을 벌었다. 임금은 하루 단위로 수확량에 따라 지급됐다. 많이 거두면 많이 받았다.

얼마되지 않아 그 농장 저축금이 바닥나게 되자 나는 비행학교 주유소에서 일하며 수업료를 벌었다. 비행기에 연료를 재주입하는 일이었다. 일반 주유소에서 자동차에 주유하는 것과 달랐다. 매우 위험하기 때문에 특별 훈련을 받아야 했다. 제대로 하지 않아 비행기가 기술적으로 '비행 불가능상태'가 되거나 폭발할 위험도 있었다.

달리 수업료를 버는 길이 있었다. 비행기 동체를 물로 씻는 일이었다. 그것 역시 말처럼 간단치 않았고 위험이 따를 수 있었다. 그렇

남가주대학의 ROTC 훈련생들이 1960년 여배우 샌드라 디와 함께 사진을 찍었다.

게 해서 나는 단독비행의 기회에 도달할 수 있었다. 14시간의 조종기술 지도가 되풀이 되고 많은 연습이 따른 뒤였다.

단독비행을 마치고 18세에 조종사가 됐다. 훈련 축적시간이 50시간을 초과하자 연방항공청(FAA)이 민간 조종사 자격증을 발급해줬다. 하지만 취업해도 보수를 받지 못하는 초급 비행사 자격증이었다.

나는 승객이나 화물을 수송해도 보수를 전혀 받을 수 없었다. 하지만 뒤집어 말하면 나는 보수를 받지 않고 승객이나 화물을 수송할 수 있었던 것이다.

나는 ROTC 훈련의 조종사 선발심사도 통과해냈다. 그런 학생은 극소수였다. 그렇게 해서 나는 다른 선발학생들과 함께 파일로트 프로그램을 수강하는 혜택을 받았다.

나는 이미 FAA 자격증을 소지했기 때문에 항공 세계의 주변을 더 자유롭게 모색할 수 있게 됐다.

나는 로스 알라메다 해군항공기지에서 로코코 소령과 함께 비행하며 많은 시간을 보냈다. 기장 조종사인 그는 정해진 대로 왼쪽 자리에 앉았고 학생인 나는 오른쪽 자리에 앉았다. 그 때가 1959~1960년으로 기억된다.

내가 로코코 소령과 함께 탄 비행기는 쌍발 엔진의 D18, 해군 SNB-5 비행기였다. 그는 대부분 조종간을 나에게 맡겼다. 그렇게 하는 것이 특히 초급생들에게는 정식처럼 돼 있었다. 배우며 경험을 쌓을 수 있기 때문이다.

베트남전쟁이 임박하면서 미국이 점점 깊이 개입하게 되자 국방성도 다른 정부기관들처럼 대학 캠퍼스를 돌며 지원병을 모집하고 있었다.

특히 중앙정보국(CIA) 같은 정부기관들과 육해공군 모병관들이 캠퍼스에 나와 있었다. 대학에서 3년을 공부하고 학위를 받기 전에 응모지원서에 서명하면 복무를 마친 후 나머지 1년 대학 등록금은 물론 대학원에 진학해 석사학위를 딸 수 있는 학비도 지원해줬다. 나는 특히 CIA에 들어가 일하는 것이 근사하게 보였다.

청천벽력

모든 것이 잘 돌아갔다. 나는 행복했고 보람이 있었다. 그런데 날벼락이 떨어졌다. 부모님이 우리에게 이혼을 통보한 것이다. 나의 세상은 굉음을 내며 급정거하는듯 느껴졌다.

부모님의 이혼은 내 생애에 일어난 가장 망연자실한 사건이었다. 성인이 된 내가 의당 잘 이겨내야 했겠지만 왜 내 심정이 그랬는지 꼭 집어서 말할 수 없었다. 우리가 한 가족으로서 그 많은 역경을 함께 극복했는데, 이제 와서 가족이 깨지게 됐기 때문인지도 모른다. 부모님이 다투는 모습을 한번도 본적이 없기 때문일 수도 있다. 부모님의 이혼이 가능할 수도 있다고 생각할만한 낌새가 그때까지 전혀 없었다. 말 그대로 나에겐 청천벽력이었다.

갑자기 나에겐 모든 것의 의미가 사라졌다. 학교도, 사회생활도, 그 밖의 다른 어떤 관심사들도 그랬다. 심지어 항공에 대한 나의 열망도 한동안 수그러들었다. 솔직히 그 때 나는 학업 면에서 가장 큰 피해를 입었다.

신기했던 것은 나와 달리 두 동생은 별 어려움 없이 그 상황을 잘 넘긴 것이었다.

나는 USC의 군사과학 시간에 ROTC 동료인 잭 시모어와 친구가 됐다. 그는 자기 아버지의 2인승 ER 쿠페이 경비행기를 맘대로 조종했다. 우리가 '방향타 페달 없는 비행기'로 불렀던 그 ER기는 잭의 가족이 사는 라번 인근의 브랙켓공항 격납고에 있었다. 그 비행기 사용의 전권을 갖고 있는 우리는 매 주말마다 달려가 비행경험을 쌓아나갔다.

부모님의 이혼 발표에 따른 충격으로 비행에 대한 나의 관심이 한때 수그러들었지만 곧 되살아나 나를 곧바로 조종사석으로 되돌려 놓곤 했다. ROTC 조종사 프로그램을 통해 알라메다에서 트레저 아일랜드까지 왕복하는 비행 훈련으로 나의 항공 경력은 일취월장했고 전도가 양양해 보였다.

하지만 USC에서 두학기가 지난 후 나는 공부에 관심이 멀어졌고, 결과적으로 성적이 떨어졌다. 연방정부 모병 프로그램에 지원하는 선택이 갑자기 매력적으로 느껴졌다. 나는 1961년 미 육군 예비군에 지원해 6개월간 훈련을 받았다. 그리고 1969년 육군 예비군에서 명예 제대했다.

제 5 장

항공 경력에 시동이 걸리다

나는 1962년 거넬 항공(Gunnel Aviation)에 취직하고 산타모니카 비행장 외곽에서 일했다. 내가 맡은 일은 판매, 시범비행 및 매각된 비행기들을 서부지역 각주에 산재한 고객 항공사들에 수송하는 일을 돕는 것이었다.

거넬에서 일하는 동안 내가 지향하는 타입의 항공경력은 오직 백인들에만 가능해보인다는 사실을 깨닫기 시작했다. 적어도 미국에서는 그렇게 보였다. 정비사로 일하는 유색인종 직원들은 종종 볼 수 있었지만 유색인종 조종사는 보지 못했다.

그렇긴 해도 항공사 조종사가 되고 싶은 마음에서 나는 노스웨스트 항공사에 취업 지원서를 냈다. 퇴짜였다. 항공사가 보내온 통보서에는 내 키가 자격기준인 5피트9인치에 미달한다는 것이었다. 하지만 실제로 내 키는 5피트9인치였다. 오히려 나보다도 키가 작은 친구 잭은 합격했다. 황당했다.

젊었던 나는 1966년 바쁜 와중에 틈을 내 결혼했다. 딸을 낳았지만 4년이 채 안돼서 이혼했다. 나는 직업상 늘 집을 비워야 했고, 아내는 그 사이에 다른 남자를 알게 됐다. 그런 일은 일어날 수 있다. 하지만 신기하게도 나의 이혼은 부모님의 이혼만큼 나를 괴롭히지 않았다. 역시 황당한 일이었다.

스튜워드-데이비스항공사

나의 오랜 경력을 되돌아보면 내가 남가주 롱비치의 스튜워드-데이비스 항공사에 비행기를 인도하러 간 것이 운명의 한 전환점이었다. 이 회사는 전 세계에 인도할 재고 비행기가 150여 대나 됐다. 특히 C-82 페어칠드가 유명했다. 별명이 '나르는 상자 자동차(Flying Boxcar)'인 C-82는 탱크와 군부대를 한꺼번에 운송할 수 있는 초대형 수송기였다. 이 회사는 C-82를 포함한 각종 비행기를 개조해 고객들인 항공사에 인도했다.

이 회사는 항공기의 필수부품을 포함한 여러 제품도 판매했다. 스튜워드-데이비스항공사가 직접 제조한 것은 엔진이었다.

결국 나는 이 회사의 공동 소유주인 허브 스튜워드씨를 만나 새로운 직업과 새로운 기회를 갖게 됐다. 스튜워드씨는 내가 멀리 극동 아시아에 살면서 터득한 문화경험에 관심이 많았다. 그분은 1967년 9월 나를 위해 스튜워드-데이비스에 일자리를 마련해 준 것이다.

내가 새 회사에서 한 일도 본질적으로는 거넬에서 한 것과 같았다. 하지만 이제 나는 외국으로 여행할 수 있었다. 동료들과 한 팀을 이뤄 상업용 항공기를 아시아의 스튜워드-데이비스 고객 항공사들에 인도했다.

당시 내 직책은 항공지원 요원이었지만 고객 항공사들에 비행술을 지도하는 책임도 맡았다. 그 때는 내가 상업항공기 조종사 자격을 딴 뒤였다. 이 자격증을 따려면 FAA의 필기시험을 통과하고 소정의 비행시간을 채워야 하며, 특히 FAA의 지정 조종사 검사관(DPE)이 실제 조종석에서 실시하는 구두 및 실기 검사에 합격해야 한다.

DPE가 비행 실기도중 점검하는 사항 중 하나는 잠재된 긴급사태의 대응이었다. 예를 들면 DPE가 비행 도중 불쑥 "왼쪽 엔진이 꺼졌다. 어떻게 할 것인가?"라고 묻는 식이었다. 스튜워드-데이비스사의 비행기를 인도하러 다니면서 나는 세계를 볼 수 있는 좋은 기회를 갖게 되었다. 부연하자면 우리는 아시아로 비행기를 인도할 때 그린란드(손드레스트롬 공군기지), 아이슬란드(레이키야빅), 이탈리아(로마), 사이프러스(니코시아), 이란(테헤란), 파키스탄(카라치), 히말라야 산맥, 베트남(사이공), 대만, 한국, 일본 등지를 들렀다.

날마다 출퇴근길에 차를 몰고 판박이 같이 혼잡한 프리웨이를 달리며 판박이 같은 주변 모습을 보는 것과는 판이했다. 바로 그 점이 내가 비행을 좋아하는 또 다른 이유이기도 하다.

시민권을 취득하다

이 모든 과정을 거친 후 1964년 나는 더 이상 이방인이 아니었다. 미국 시민권자가 됐기 때문이다. 나로서는 대단히 자랑스러운 순간이었다. 이제 나는 소속감을 갖게 됐다. 어려서 미국으로 건너와 백인들만의 교실에서 영어로 소통도 할 수 없었던 나로서는 실로 길고 긴 여정이었다.

스튜워드-데이비스 직원이었던 나는 1965년부터 1970년까지 하와이주 호놀룰루에 배치되었다. 그곳 알로하 항공사가 보유한 두대의 바이스카운트 항공기에 필요한 여분의 부품들을 확보하는 일을 도왔다.

그 뒤 나는 일본으로 전근돼 일본 공군과 함께 일했다. 당시 일본은 대잠수함 폭격기인 록히드 P2V '넵튠' 비행기를 여러대 갖고 있었다. 물론 이들 비행기는 제 2차대전에서 패한 일본이 자위 태세를 위해 보유한 것이었다.

그 후 스튜워드-데이비스사의 웨스팅하우스 J34 제트기들이 P2V에 추가돼 일본 공군의 전력이 향상됐다. 당시 내 임무는 일본 자위대와 스튜워드-데이비스 간의 협조 및 조정이었다. 그밖에도 일본 공군이 제트 엔진의 조작 매뉴얼을 이해하고 실제로 사용할 수 있도록 도왔다. 이는 단순히 참고적 안내에 그치지 않는 매우 중요한 일이었다.

스튜워드-데이비스는 실로 국경을 초월한 지구촌 항공 사업체였다. 당시 나는 C-82 '플라잉 박스카'를 비롯해 C-82 제트기종과 C-119 제트기종에 J34기를 추가하는 일도 맡았다. 일본 공군에서 한 일과 똑같은 방법이었다. 스튜워드-데이비스는 또 미국 군부와 국내 항공사 및 항공기 제조업체들은 물론 일본 자위대 같은 외국 군부에도 납품했다. 말하자면 다양한 고객 항공사들을 위한 일괄 서비스 체제를 지향하고 있었다.

그 무렵 C-82 비행기들은 전세계에 인도되었고, 특히 남미 국가와 인도에 많이 인도했다. 나는 이들 비행기를 수송하는 일에도 관여했다. 스튜워드-데이비스는 인도 공군에 C-82 모델 비행기 60대를 인도했다.

스튜어드-데이비스항공사의
조종사 시절. 1974년 경

일본의 후지 중공업이 신제품 F100과 F200 모델을 포함한 비행기를 미국에 수출할 길을 모색하고 있었다. 나와 스튜워드-데이비스가 이 문제에 다시 개입했다. 우리는 수출 가능성 타진을 위한 예비조사를 해주었고, 시험비행 안전기준 통과여부를 확인해줬으며 실제로 후지 조종사들과도 함께 일했다.

그 사업에 스튜워드씨는 많은 애착을 가졌다. 후지는 규모면에서 미국의 제너럴 모터스에 비견할만했다. 나는 후지 신제품들이 시장성을 갖췄는지 알아보기 위해 이들 비행기를 조종하면서 성능을 분석했다.

중화인민공화국(중국)도 홍콩의 차이나 리소스사를 통해 보잉의 T-50, T-502 및 웨스팅하우스의 J34 비행기 수입에 관심을 보였다. 실제로 수출이 이뤄졌는지 여부는 확인할 수 없었다.

제 6 장

에어 아메리카항공사

텍사스대학 달라스 캠퍼스의 맥더못 도서관 내 에어 아메리카 박물관에서.

이제 독자 여러분께 에어 아메리카(Air America) 항공에 관해 말씀 드릴 때가 됐다. 그 배후조직과 이 항공사가 나의 이야기에서 중요한 한 부분을 차지하게 된 경위를 설명해드리겠다. 이 항공사는 궁극적으로 희생을 받친 조종사들을 위한 기념비라는 평을 듣는다.

작가 매리언 스터키는 그의 저서 '미 해병대의 투사문화'에서 중앙정보국(CIA) 소유인 에어 아메리카가 한때는 세계 최대 규모의 '항공사'

였다고 말한다. 정확한 수치는 불분명하지만 이는 자주 확인된 사실이다.

에어 아메리카의 뿌리는 제2차 세계대전 전으로 거슬러 올라간다. 중국에서 미국 자원봉사 그룹(AVG)을 지휘한 클레어 체놀트 장군은 수하 조종사들로 하여금 P-40 전투기를 몰고 일본 공군과 대결토록 했다.

에어 아메리카는 결국 '민간 항공 수송사'로 알려지게 됐고 1953년부터는 에어 아시아(Air Asia)로 이름이 바뀌어 대만에 본사를 둔 CIA 소유의 민간 항공사가 됐다. 에어 아시아는 지주회사였고 그 휘하에 이름이 상대적으로 더 널리 알려진 에어 아메리카 및 남부 항공수송(SAT), 민간 항공수송(CAT), 에어 아시아(AA) 등의 이름으로도 비행했다. 두가지 목적 때문이었다. 하나는 에어 아메리카가 비밀 정찰임무를 수행했다는 것이고 다른 하나는 에어 아메리카가 동남아 일부지역에서 공산군과 싸우는 전사들에게 보급품을 공수했다는 점이다. 이 같은 작전은 미국정부가 월남전에 연루되지 않았다고 공식 발표하고 있던 기간에도 실제로 이뤄지고 있었다.

예를 들면, 존 F. 케네디 대통령은 암살당하기 며칠전에 월터 크롱카이트와의 CBS 대담에서 그 전쟁은 결국 월남인들의 손에 달렸으며 월남인들의 전쟁일 뿐 우리 전쟁이 아니라고 강조했다. 린든 존슨 대통령도 1964년 대통령선거 캠페인에서 똑같은 말을 했다.

1968년 사이공에서 통역 트란과 함께

하지만 실제로는 톤킨만 사태가 터져 월남전으로 확대되기 전에도 미국은 공산군 대항세력들에게 은밀하게 도움의 손길을 뻗치고 있었고, 바로 그 최전선에 에어 아메리카가 민간 항공사로 위장해 그 일을 맡았었다.

휴 그런디 사장

그 에어 아메리카의 사장직을 휴 그런디씨가 1950년대부터 1970년대까지 맡았다. 바깥 세상에는 그가 영리를 추구하는 민간 항공사의 운영 책임자로 비쳐졌지만 실제로는 그가 에어 아메리카를 통해 CIA의 비밀임무를 지원하고 있었다. 에어 아메리카의 이 같은 운영방식이 얼마나 철저하게 비밀에 가려졌던지 심지어 그런디의 부인도 남편의 직업이 얼마나 위험하고 은밀한 성격이었는지를 그가 은퇴한지 약 30년 후인 2001년 CIA로부터 표창을 받을 때까지 까맣게 몰랐다.

그런디씨는 신사였다. 키가 훤칠했고 정부가 위임한 권위를 집행하면서도 동시에 가장 나긋나긋한 지도자 중의 한명이었다. 그는 활력이 넘쳤지만 매우 사려가 깊고 신중한 사람이었다. 그는 결정을 내릴 때 다른 국면을 고려하면서 큰 그림을 머리에 그렸다.

그는 또한 직원들을 돌봤고 직원들의 복지에 많은 관심을 기울였다. 자유와 생명을 잃을 위험에 직면하는 조종사들이 많다는 사실을 늘 기억했다. 나는 그런디씨의 직책을 그처럼 완벽하게 수행해낼 수 있는 다른 어떤 사람도 알지 못한다. 정부가 그 직책과 사업에 가장 적합한 사람을 선택했다는 것이 내 개인적 느낌이다. 그는 에어컨이 가동되고 운전사가 딸린 시보레 차량을 타고 다니는 것을 즐겼다. 나 역시 대만 날씨가 후덥지근할 때 그 차에 동승하는 것을 즐겼다.

에어 아메리카의 모토는 "무엇이든, 어느 때든, 어디서나(Anything, Anytime, Anywhere)"였다.

"에어 아메리카 조종사들은 모험심과 강심장의 재능으로 유명했다. 그들은 미국정부가 월남전 개입을 공식화한 1965년까지 동남아 지역에서 보급품과 정보를 비밀리에 수송하기 위해 비행기와 자기들 생명의 위험을 무릅쓰기 일쑤였다"고 켄터키 역사학회는 기술했다.

이들 에어 아메리카의 용맹스런 군인 조종사들에 관해 설명해야 할 또 다른 부분이 있다. 그들이 흔히 세양(洗羊, sheep-dipping)을 거쳤다는 점이다.

'세양'은 정보계통의 사람들이 쓰는 용어로 어느 특정 개인의 신분을 다른 신분으로 대체하는 행위를 뜻한다. 마치 양을 강물이나 호수 물에 담그면(洗羊) 몸에 붙었던 벼룩 따위 기생충이 없어지듯이 특정 개인을 '세양'시키면 그의 원래 신분의 흔적이 일체 사라지고 전혀 다른 사람의 신분이 떠오른다.

군대에서는 은밀한 작전 수행에 임하는 군인을 민간인으로 위장시킬 필요가 있을 때 세양을 허용한다. 은밀한 작전에 투입된 '민간인'은 외국 정부당국에 체포돼도 통상적으로 군인보다는 덜 혹심한 대우를 받는다. 좋은 예가 U2기 조종사였던 프란시스 게리 파워스이다. 그는 공군대위 출신이지만 민간인 신분으로 CIA의 정보수집 비행기인 U2기를 구 소련 영공에서 조종하다가 1960년 격추당했다.

이 사건은 국제적으로 복잡한 국면이 있었지만 파워스는 간첩혐의로 유죄선고를 받고도 사형선고를 면했다. 그가 민간인 신분이라는 사실이 감안됐을 것으로 추정됐다. 그는 1962년 미국으로 송환됐다.

스튜워드씨는 당시 매우 많은 일을 맡고 있었던 나에게 휴 그런디씨를 만나라고 했다. 그 회동은 대만에서 이뤄졌고 목적은 에어 아메리카에 PBY '카탈리나' 해상 비행기를 보급하는 것이었다. 스튜워드씨는 내가 그 일에 가장 적합한 사람이라고 말했다. 내가 FAA의 복수 엔진 해상비행기 조종사 면허를 보유하고 있었을 뿐 아니라 나의 근무지가 대만에 가장 가까웠기 때문이다. 그렇게 해서 내 업무는 일본에서 시작돼 대만, 한국을 거쳐 동남아로 뻗어나가게 됐다. 이는 장차 내가 FAA의 조종사 지정 검사관(DPE)이 될 것임을 예시한 것으로 볼 수 있다.

또한 당시 내가 함께 일한 조종사들 중 상당수가 '세양'을 거친 상태였고 내가 발급 책임을 맡고 있던 FAA 상업항공기 조종사 자격증을 갖고 싶어했다.

만약 미국정부가 당시 이 지역에 나 같은 검사관을 확보하지 못했더라면 이들 조종사를 모아 미국에 보낸 후 훈련시키고 자격증을 부여하는 데 훨씬 많은 경비가 들었을 것이다.

나는 이미 스튜어드-데이비스 항공에서 내가 맡고 있는 지역을 담당토록 한 FAA의 검사관 지정을 수락했었다.

내가 에어 아메리카와 그 자매회사인 에어 아시아에서 맡았던 부서에서는 1967년과 1969년 몇가지 사업에 관여했다. 예를 들면 앞서 말한 PBY '카탈리나' 수륙양용 항공기가 야간에 동부 중국의 정찰비행에 활용되도록 하는 것이었다. PBY기는 성능이 독특해서 그 일을 수행할 수 있었다. 즉 육지 비행장을 이륙한 후 야간에는 바다에 착륙할 수 있었고, 다음날 다시 바다에서 떠서 육지 비행장으로 돌아올 수 있었다. 당시 이들 비행기는 남지나해 해안에서 그 작전을 수행했다.

스튜어드-데이비스사는 이 비행기의 기술 조정 및 미국 본토로 수송해 오는 일을 지원하고 있었다.

PBY기는 1969년 또 다른 독특한 임무수행을 위해 남가주 롱비치의 스튜어드-데이비스본사로 돌아왔다. 캘리포니아의 산불 및 덤불 화재를 진압하는 일이었다. 이 비행기는 호수 표면에서 물을 신속하게 퍼 담은 후 화재현장으로 날아가 쏟아 부었다. 그 복수 엔진 해상비행기의 귀한 조종 자격증을 가진 사람이 바로 나였다.

나는 PBY기가 어디에 배치돼야 할 것인지, 다음 목적지는 어디인지 등에 관해 그런디씨가 지대한 관심을 기울였던 것을 기억한다. 그런 그런디씨가 산불진화에 PBY기가 투입되기로 결정되자 만족해했다. 그것이 사람들을 돕는 일에 가장 잘 쓰일 수 있는 길이기 때문이다.

독자 여러분의 흥미를 위해 주석을 달자면, 스튜워드-데이비스는 당시 세계 항공업계를 크게 앞서가는 선진형 사업들을 많이 벌이고 있었다. 이 항공사는 또한 '피닉스의 비행' '토라! 토라! 토라' '콘에어' 등 장편 영화에 사용될 특수 비행기들을 C-82기 등을 이용해 제작하기도 했다.

위기일발, 히말리야를 넘다

독자 여러분은 내가 스튜워드-데이비스 항공기를 인도하며 비행할 때 히말라야 산맥도 넘어갔다고 한 말을 기억하실 것이다. 바로 이 거대한 산맥을 1970년 특수 제작 및 조정된 '에어로 터보 커맨드' 681기를 조종하고 넘어가다가 내 생애에 가장 '흥미 있었던' 순간 중하나를 겪었다.

나는 파키스탄의 카라치를 이륙한 후 네팔과 부탄의 남쪽 국경을 따라 상공을 비행하고 있었다.

창밖을 내다보다가 앞날개 끝에 얼음이 언 것을 봤지만 대응조치를 취할 수 없었다. 비행기에 장착된 관련 기기의 해빙기능이 작동하지 않았다. 그래서 비행 고도를 낮추기로 했다. 고도 3만 피트에선 기체 밖기온이 영하 50도 정도로 춥다. 고도를 낮추면 기온이 상대적으로 올라가 얼음이 녹게 된다. 불행 중 다행으로 두꺼웠던 얼음이 분리됐다.

나는 비행기 고도를 1만 피트 낮췄다. 히말라야는 내가 날고 있던 바로 그 고도에서 고봉들이 들쭉날쭉하기로 악명 높다. 내가 하강하면서 켜둔 착륙 조명등을 통해 봉우리들이 엄청 가까이 보였다. 바로 눈앞처럼 느껴졌다. 당연히 히말라야의 고봉들 높이 위로 비행했어야 했다. 이젠 어쩔 수 없었다. 산봉우리와 충돌하지 않도록 최대한 주의할 수밖에 없었다.

그에 더해 날개 끝의 분리된 얼음 덩어리를 기체에서 완전히 떨쳐버려야 했다. 나는 그 와중에 기체를 좌우로 기우뚱 거리도록 조종해 얼음이 날개에서 미끄러져 나가도록 시도했다. 이 모든 동작을 거봉들이 코앞에서 노려보는 가운데 해야만 했다!

또 한가지 문제가 있었다. 그 곳이 월남전 지역이었다. 나는 버마(미얀마)공항에 너무 가깝게, 또한 지상에서 너무 낮게 비행하고 있었기 때문에 적군 비행기에 격추당할 위험이 있었다. 하지만 날개의 얼음뭉치를 제거하지 않는 이상 고도를 높일 수가 없었다. 그렇다고 고도를 높이지 않으면 비행기는 오도 가도 못하고 산과 충돌할 상황이었다. 나는 이들 두 상황 중 덜 무서운 쪽을 택하기로 결심했다.

그런데, 그것도 모자랐는지 나는 사이공의 미군공항 운영센터로부터 목적지를 다낭에서 사이공으로 변경하라는 무선통신을 받았다. 사이공이라니? 거긴 350마일을 더 비행해야 갈 수 있다. 연료가 충분한지조차 의문이었다. 미칠 지경이었다.

가까스로 사이공에 착륙한 나는 커피부터 한잔 마시면서 그곳 항공운영 사령관인 공군 대위에게 불만을 토로했다. 하지만 듣고 보니 그럴만한 사정이 있었다. 당시 다낭은 정확하게 내가 착륙할 시점에 베트콩의 대대적 폭격을 받을 위험이 있었다. 공항 사령관은 당시 교신이 공개상태였기 때문에 나에게 자세한 이유를 말해주지 않았다고 설명했다. 내가 만약 다낭에 착륙했더라면 아마 나는 지금 이 책을 쓰고 있지 못할 것이다.

한국이 나를 부르다

내가 스튜워드-데이비스 동남아 지사에서 일하고 있을 때 조중 훈 대한항공(KAL) 사장으로부터 함께 일하자는 제의를 받았다. 조중 훈 사장이 한국정부의 민영화 정책을 통해 대한항공을 인수한지 얼 마 안 됐을 때였다.

조중훈 사장은 자신의 조종사 양성 프로그램을 도와줄 사람을 찾고 있었다. 이는 당시 아시아에 국한됐던 KAL(현재는 Korean Air) 의 취항노선을 전세계 로 확대하겠다는 사장 의 포부를 실현시킬 수 있는 필수요건이었다. 내가 그 자리에 안성맞 춤이었다. 비행기술은 물론 세계를 무대로 실 무경험을 쌓은 나는 조 사장이 원하는 모든 요 건을 갖추고 있었다. 이 미 FAA가 공인한 ATP 항공기 수송 조종사였 고, 당시 항공업계에서 는 영어와 한국어를 모 두 완벽하게 구사할 수 있는 유일한 조종사였

1971년 대한항공의 서울-로스앤젤레스 노선 처녀운항을 마치고.

다. 나는 스튜워드 사장을 찾아가 1~2년간 회사를 떠나는 문제를 상의했다. 스튜워드 사장은 장차 스튜워드-데이비스의 한국 진출을 위해 '윈-윈' 효과를 거둘 수 있는 기회라고 생각했다.

그렇게 해서 나는 1971년부터 1973년까지 KAL에서 기장 겸 비행기술 훈련관으로 일했다. 대한항공과 계약한 일을 끝마치고 스튜워드-데이비스로 돌아온 나는 극동 운영담당 부사장으로 승진했다. 동시에 나는 FAA의 조종사 지정검사관(DPE)이 됐다.

KAL과의 계약 근무기간 동안 나는 15명의 수석기장들이 미국 FAA의 여객기 수송 조종사(ATP) 자격증을 취득하도록 도왔다. KAL은 미국의 FAA가 인증하는 기장을 고용한 첫 해외 항공사가 되었다.

FAA의 ATP 자격증을 보유한 KAL 조종사들은 미국의 N 숫자가 부착된 채 임대된 B-707기에 배정됐다. KAL과 체결한 나의 계약이 끝났을 때 KAL 여객기의 처녀비행이 있었다. 1971년 서울을 떠나 도쿄와 앵커리지를 거쳐 로스앤젤레스에 도착한 뒤 역순으로 되돌아오는 코스였다. 나와 5명의 조종사들이 이 처녀비행을 맡았다. 로스앤젤레스에서의 환영식은 대단했다. 한인들과 다른 주민들이 참석했다. 이 처녀비행은 조중훈 사장에게는 꿈의 실현이었다. 이제 50년이 흐른 지금 되돌아보면 실제로 그렇게 됐다고 말할 수 있을 것 같다. 유념해야할 사실은 B-707기가 HL(한국 등록)에는 아무런 변동이 없었지만 미국에서 임대됐다는 점이다. 그래서 이 비행기는 FAA가 인증하는 조종사에 의해 FAA의 기준에 따라 운행돼야 했다. 조중훈 사장과 나는 첫날부터 이 점을 대단히 중시했었다. 이제는 역사가 됐다.

애당초 FAA는 나의 항공학 지식과 다양한 자격증은 물론 글라이더와 항공선 조종을 포함한 풍부한 경험을 눈여겨 보고 있었다. FAA는 나에게 연락해 DPE.가 되도록 해줬다. FAA는 충원이 필요할 때 DPE 후보를 엄밀하게 선정한 후 초청형식으로만 임명한다.

그렇게 해서 나는 FAA의 극동 아시아 담당 DPE가 됐다. 관할 지역으로 일본, 한국, 대만 및 홍콩과 동남아 전체를 아울렀다. 당시 FAA의 해외 DPE는 고작 6명이었다. 남미에 2명, 유럽에 2명, 북부 아프리카에 1명, 그리고 아시아의 나 한명이었다.

나는 FAA의 DPE로서 미국정부를 위한 지정 도급자 역할을 담당했다. 이를 위해 도쿄에서 3개월간 실무훈련을 받아야 했다.

내가 FAA를 위해 한 일 중에는 조종사 지망생들의 원서를 접수해 이들에게 다양한 등급의 자격증을 발급할 수 있도록 시험을 실시하는 것도 포함됐다. 이는 에어 아메리카에 보낼 조종사들의 공급원이기도 했다. 나의 경력 중 FAA와 협력한 기간은 1972년부터 1975년까지였다. 나와 함께 일한 많은 조종사들이 에어 아메리카를 위해 '세양'됐다. 이들은 FAA의 상업항공기 조종사 자격증을 추구했고, 나는 그 자격증을 발급하는 담당관이었다. 당시 내가 DPE로서 활약한 내용이 1973년 2월 성조지에 잘 묘사됐다.

"군산 항공클럽 회원 3명이 '시험대에 올랐다'…FAA 자격증 취득의 마지막 단계인 비행 점검을 받게 된 것이다. 이들은 비행중 기체 조작, 이착륙 숙달 등 많은 것을 테스트 받는다. 전국횡단 장거리 비행 테스트도 있다. 시험관은 또한 이들이 위기상황의 대처능력이 있는지도 확인한다. 그 시험관이 지역담당 FAA 지정 조종사 검사관인 체스터 장씨이다. 장씨는 FAA 검사관 외에 많은 항공 자격증을 보유하고 있으며 거의 모든 타입의 조종사들을 대상으로 비행 테스트를 실시할 수 있는 능력의 소유자이기도 하다."

대한항공에서의 일이 끝난 뒤 나는 스튜워드-데이비스사로 복귀해 극동운영 담당 부사장이 됐다.

그리고 나서 1975년 9월 나는 미 육군 홍보사령부에서 일하기 시작했다. 항공 비행교통 자문관(AATA)이라는 직책을 맡아 서울에

머물렀다. 내가 1969년 마지막으로 갔던 고국에 다시 금의환향했다고 해도 무방할 것 같다. 나의 직책은 이듬해인 1976년 2월까지 계속됐다.

독자 여러분이 관심 있을지 모르지만 '제파디식' 항공 상식 몇가지를 설명 드리겠다. 미국의 모든 등록 항공기 꼬리날개 번호는 'N'으로 시작한다. 이는 미국을 뜻한다. FAA 아카데미는 1975년 전 세계 60여개 국의 조종사들을 훈련시키기 위해 100여대의 비행기를 운용했다. 물론 미국의 국내 수요를 충족시키기 위한 목적도 있었다.

지금으로부터 40년도 훨씬 전인 그 때가 좋은 시절이었다.
분명히 말하건 데 나의 항공경력은 하늘이 내린 선물이었다.

제 8 장

면류관을 쓸 만한 성취 :
미 연방항공청 FAA에 채용되다

그동안 내가 쌓아온 항공경험과 전문지식은 결국 내 경력에서 가장 중요한 순간을 일궈냈다. 드디어 1976년 3월 미 연방항공청 FAA의 풀타임 직원으로 공식 채용된 것이다. 당시 내 직위는 일반 항공조사관이었다.

FAA 취업은 나의 오랜 꿈이었다. 더구나 1975년 4월 월남전이 끝난 후 그 꿈이 이뤄진 것이 참으로 시의적절했다. 첫 3년간은 수습 기간이었다. 일정 수준에 도달하지 못한 사람은 쫓겨났다. 신규 직원들은 오클라호마 시티의 FAA 아카데미에 보내져 교육과 훈련을 받았다. 말하자면 FAA 신규 직원들을 위한 사관학교 같은 곳이었다.

나와 함께 채용된 신규 직원들 중 약 25%가 중도 탈락해 실습 훈련이 시작되기 전에 아카데미에서 방출됐다. 훈련은 강의와 비행을 함께 했다. 프로펠러기에서 거대한 제트 수송기까지 모든 종류의 항공기를 조종해야 했다. 제트 수송기를 조종할 때는 기장, 부 조종사 및 항공 엔지니어 등 3인 1조로 훈련에 임했다. 다시 말해서 훈련을 통과하려면 3개 부분에 모두 숙달돼야 했다.

그렇다고 3년기간의 훈련을 모두 오클라호마 시티에서만 받은 것은 아니다. 그 중 2년은 각지역 지사에서 받게 돼 있었다. 내가 배치된 곳은 알래스카주 페어뱅크스 지사였다. 또 지사 훈련과정을 마쳤다고 해서 모든 게 끝나는 것도 아니었다. 궁극적으로 나의 동료 신규 직원 중 또다시 20%가 방출되어 FAA의 다른 부서로 배치됐다.

오클라호마에서의 비행훈련 모습. 기종은 FAA의 B727기 N27호와
B707기 N113호이다.

알래스카를 향해 북으로

나는 알래스카 지사에 배치된 것을 매우 좋은 기회로 받아들였다. 혹한의 북극지역에서 훈련받음으로써 나의 지구촌 비행 경험이 더욱 확장될 수 있었기 때문이다.

나는 알래스카의 규모가 그토록 엄청나게 큰 줄을 조종훈련을 받기 전에는 전혀 감도 잡지 못했다.

내가 타고갈 택시가 기다리고 있다.

1977년 알래스카주 포인트 배로에서 웨인 알래스카 항공사와 함께 일했을 때 모습.

약 3개월이 경과한 어느 날 알래스카 지사장이 나에게 찾아와 내가 단축 이착륙(STOL) 비행에 합격했다고 알려줬다. 물과 땅에서 모두 이착륙할 수 있는 비행자격을 땄다는 의미다. 나는 또한 눈과 얼음이 뒤덮인 곳에서 스키가 장착된 비행기를 조종할 줄도 알게 됐다. 전체적으로 나의 수륙양용 비행기 조종 경험이 더욱 늘어났다는 의미다. 지사장은 또한 당시 독신이었던 내가 처자가 딸린 다른 직원들보다 시간여유가 더 많기 때문에 자기가 심중에 계획하고 있는 비행업무에 내가 안성맞춤이라고 말했다.

지사장은 우리의 책임지역을 단속하기 위해서는 누군가가 매 2주마다 비행순번을 맡아 약 2,600마일을 비행해야 한다고 말했다.

FAA의 보잉 707기 N113편, B727편, N27편은 국제선 훈련용으로 사용되었다.

그래서 나는 페어뱅크스에서 이륙해 루비와 갈레나를 거쳐 베델의 상공을 날았다. 물론 모두 알래스카 도시들이다. 저녁에는 놈에 착륙했고, 다음날 아침에는 또 시시마레프와 코체부 그리고 배로로 날았다. 북극 도시 배로에선 미해군연구센터를 방문했다. 석유시추를 위해 설치된 기관이다. 해군 역시 FAA의 협조가 필요했다. 해군 조종사들에게 N자로 시작되는 미국 국적 항공기의 조종사 자격증을 발부해 주는 일이었다.

나는 알래스카 지사에 근무하는 동안, 그리고 장거리 비행을 수행하는 동안, FAA와 관련되는 일은 무엇이나 했다. 직업의 특성상 지사에서 FAA를 대표하는 입장이었다. 조종사와 항공기 면허갱신 등의 일을 해야 했고 서류작성 일도 참으로 많았다. 그런 일들은 대부분 오지의 전초부대에서 했다. 거기 머무는 동안 나는 퀸셋 막사에 투숙하기 일쑤였다. 일종의 조립식 인공 이글루 같은 것이었다. 나의 알래스카 임무수행 지역 중 적어도 페어뱅크스와 놈을 제외한 다른 곳에선 모텔을 별로 찾아볼 수 없었다.

이런 여건에서의 비행이 위험한 것일까? 분명히 그럴 수 있다. 나는 그처럼 다양한 항공경험을 지녔다는 점을 대단히 자랑스럽게 생각한다. 내가 얼마나 많은 비행경험을 쌓았는지를 이번 임무를 부여받기 전에는 알지 못했었다. 그런데 알래스카 지사장은 아마도 그것을 알았던 모양이다.

나는 또한 '부시(Bush)' 비행술도 자랑스럽게 생각한다. 짧은 활주로에서 이륙해 물에 착륙하는 기술이다. 내가 스튜워드-데이비스에서 PBY쌍발엔진 수륙양용기를 조종했던 경험이 분명히 도움이 됐다.

지사에서 3년간 훈련을 마친 신규 직원은 자기가 배치되고 싶은 지사를 지원할 수 있다. 만약 그 지사에 자리가 있을 경우 FAA는 그 지원을 존중해준다.

내가 맨 먼저 신청한 곳은 시애틀 지사였다. 나에게 수륙양용 비행기 조종술의 경험을 쌓을 기회를 준 곳이었기 때문이다. 나는 시애틀에서 1년간 일했다. FAA 훈련을 마친 직후 내 직함은 항공조사관(AI)이었지만 시애틀에서 1977~79년 일한 뒤에는 일반 항공운영 조사관(GAOI)으로 승진했다.

다시 결혼하다

이윽고 1979년, 재혼하고 싶은 마음이 간절해졌다. 지난번처럼 4년으로 끝나지 않고 40년 또는 그 이상까지 결혼생활을 이어가는 것이 목표였다. 그런데, 실제로 그렇게 됐다.

내가 장래의 내 아내를 만난 것은 어언 8년을 독신으로 지낸 뒤였다. 또한 내가 1972년 KAL에서의 일을 끝내기 2~3개월 전이었다. 참으로 우연한 만남이었다. 결혼한 사람마다 할 이야기가 풍성하지만 우리 결혼 이야기는 특히 우여곡절이 많다.

솔직히 말하면 서울 태생인 내 장래 아내(김원옥)가 나를 찍었다. 그녀는 그날 서울 도심의 조선호텔 레스토랑에서 점심을 먹고 있었다. 그녀의 이화여대 입학을 축하하기 위해 부모님이 한 턱 쏜 것이다. 나는 혼자 식사를 마치고 레스토랑을 나가다가 그녀의 아버지를 알아보고 인사를 건넸다.

그녀의 아버지는 KAL의 수석기장 중 한 명이었고, 동시에 나에게 배운 학생들 중 한명이었다. 솔직히 나는 장래 내 아내 될 원옥이 거기 앉아 있는 것조차 몰랐다. 우연한 사실이 또 하나 있었다. 그녀는 1953년 12월 남한의 사천 공군기지에서 태어났다. 바로 그 때 15세였던 나는 사천 기지에서 장성환 삼촌을 만나고 있었다.

당시 원옥의 아버지는 사천기지 행정장교였으며 내 삼촌의 부하였다. 얼마나 더 기이할 수 있단 말인가! 연애시절의 긴긴 이야기를 줄이자면 내가 알래스카에서 3년간 FAA 수습직원으로 일하는 동안 원옥은 내 주소를 간직하고 매달 두세통의 편지를 보내왔다. 더 이상 로맨틱할 수 없는 연애편지였다.

그 무렵 원옥은 KAL에 스튜어디스로 취직했다. KAL기가 기항하는 공항에 알래스카주 앵커리지가 포함됐다. 그녀가 앵커리지에 기항하는 날엔 나도 페어뱅크스에서 그곳으로 날아갔다. 내가 시애틀로 전근 갈 때쯤 우리는 결혼준비가 돼 있었다. 내가 프러포즈하자 원옥은 기다렸다는 듯이 수락했다. 그러나 그녀 가족의 반응은 단연 'No'였다. 우리의 결혼을 격렬하게 반대했다. 내가 원옥보다 나이가 너무 많고, 한번 결혼한 전력이 있다는 것 등이 이유였다. 원옥이 집에서 쫓겨나게 돼 일이 더욱 난처하게 됐다.

고맙게도 사촌누나 신명애가 나서서 사태를 수습하고 우리의 결혼식을 주선해 줄 수 있었다. 누나는 고모 (아버지의 손위 누나)의 딸이다.

명애 누나는 한결같이 내 편이 되었다. 그녀는 설득력이 있었다. 내 대신 원옥의 어머니를 만나 설득을 했다. 여자끼리의 이야기가 효과가 있었던 것 같다.

누나는 설득력과 결단력을 발휘하며 내가 서울에 도착할 때까지 사태를 안정시키고 있었다. 만약 누나의 그 같은 노력이 없었다면 우리 결혼은 성사되지 못했을 것이다. 우리 부부는 그녀에게 감사의 빚을 졌다. 올해 85세인 명애 누나는 여전히 건강하게 살고 계신다.

나는 서울로 날아가 1979년 3월 주한미국대사관에서 결혼식을 올렸다. 그녀는 같은 해 시애틀로 와서 나와 합류했고, 곧 이어 임신했다. 우리는 두 아들을 얻었다. 장남 이름은 체스터 클레어런스, 차남은 카메론 캐시이다.

1979년 무렵 아내 완다 및 백일을 맞은 장남 체스터와 함께 인천 상공을 비행하며.

한국에서의 현장 방문 사진. 기지사령관 김 대령 및 그의 미군 상대역과 함께.

완다는 우리가 시애틀에 머무는 동안 미국 시민권을 취득했고, 개인 여권과 함께 미국 공무원 여권도 받았다(이때 그녀는 'Wanda'라는 미국 이름을 가지게 되었다). 모든 서류과정이 2주밖에 걸리지 않았다. 우리는 시애틀 근교의 맥코드 공군기지에서 한국의 오산 공군기지로 C141 '스타 리프터' 기에 편승해 갔다. 화물기인 그 비행기는 최악이었다. 탑승자 '편의시설'이라는 게 고작 벤치 의자였다. 당시 임신 6개월 이었던 완다에겐 전혀 적합하지 않았다. 나는 오산으로 배치된 일행 중 마지막 한명이었다. 나를 제외한 다른 사람들은 이미 도착해 있었다.

나의 인생은 6개월 사이에 많이 바뀌었다. 결혼했고, 아들을 태중에 갖게 됐으며, 아내는 미국 시민권자가 됐다. 모든 게 빠르게 지나갔다.

나는 1979년 8월부터 1980년 2월까지 FAA에서 국방성으로 전속됐다. 나는 또다시 FAA의 극동담당 지정 조종사 검사관(DPE)이 됐다.

담당지역도 전처럼 일본, 한국, 대만 및 홍콩이 포함됐다. 국방성에선 한국주재 항공자문관 겸 기획관으로 일하면서 동시에 DPE로서 FAA 국장을 대리했다. 이들 두가지 일을 동시에 맡는다는 건 매우 드문 일이었다. FAA에서 국방부 산하 육군통신사령부(USACC)로 전속돼 FAA와 분리돼 있던 기간에도 나는 DPE 신분을 그대로 유지했던 것이다.

이 기간에 나는 자랑스럽게도 당시 한국주둔 미군총사령관이었던 존 W. 베시 장군이 서명한 다음과 같은 표창장을 받았다.

"장씨는 1978년 7월26일부터 1978년 10월26일까지 한국 내 통신개선을 위한 전화통신 계획 준비과정에서 임무수행에 혁혁한 성과를 올렸음. 장씨의 문건은 매우 긴요하며 한국 내 지휘, 통제 및 정보통신에 필요한 개선사항을 모두 아우르는 단일, 통합 전화통신 계획이 되었으므로 이에 그의 혁혁한 임무수행을 인정해 표창함. 이는 그 자신과 미국 육군통신사령부와 군부에 큰 공적으로 반영될 것임."

나는 1978년 8월 미국 국방성으로부터 한국에 2년간 더 체류하는 문제를 신중히 고려해 보도록 요청받았다. 당시 지미 카터 대통령

1979년 한국 비무장지대(DMZ)의 자유의 다리에서 동료들(소령 및 중령)과 함께.

하와이안 항공사의 DC-10기 조종사를　　　브래니프 항공 전세기로 난민들을
태평양 상공에서 훈련시킬 때 모습　　　　미국으로 수송할 때 모습.

은 한국에서 모든 미군을 철수하는 방안을 구상 중이었고, 그에 따라 정부는 이를 검토할 필요가 있었다. 내가 그 일에 참여하게 됐다.

　　그 일에서 나의 책임분야는 공중 교통통제 및 미국 군사시설과 관련된 항공업무였다. 나는 지휘, 통제, 통신 및 정보를 위한 공중교통 통제가 필요한 시설을 식별하고 그 이행 방안을 연구했다.

　　나는 1980년 2월부터 같은 해 6월까지 항공자문관으로 일했고, 1980년 6월부터 1981년 7월까지는 도쿄주재 미국대사관에 배치됐다. 1982년 2월부터 같은 해 6월까지 임시로 동남아 국제지사에서 수석자문관으로 일했으며 1982년 6월부터 1983년 10월까지는 괌에 소재한 남부 아시아 국제지사의 매니저로 승진했다.

깊고 먼 여정, "보트 피플" 수송

　　나의 가장 심오하고 감상적인 추억 중 하나는 1983년의 일이다. 나는 워싱턴DC의 FAA 본부로부터 '보트 피플'로 불리는 베트남 난민들을 수송하라는 지시를 받았다. 괌에서 LA 국제공항(LAX)까지 직행이었다. 중간에 기착지가 없었다. 당시 수송수단은 미국 정부가 브래니프 항공사에서 전세 낸 B-747 기였다.

이런 노선의 비행은 하와이의 호놀룰루 아니면 힐로에 기착했다가 로스앤젤레스로 향하는 것이 정석이었다. 하지만 명령은 명령이므로 따를 수밖에 없었다.

괌을 떠나던 날 비행기는 할아버지, 할머니, 부모 및 어린이들로 만원을 이뤘다. 계단을 통해 비행기에 탑승하는 그들의 눈과 몸짓 언어에는 알 수 없는 미래에 대한 공포가 서려 있었다. 왜 그런지 정확하게 알 수는 없었다. 아마도 우리를 믿지 못했고, 오래 동안 속기만 하고 살아왔으며, 앞으로 있을지 모를 최악의 상황을 우려했기 때문이 아닌가 싶었다.

나는 부산에서 나 자신이 겪었던 난민시절을 떠올렸다. 그 때는 내 주변의 수많은 것들이 불확실했었다.

앞서 말했듯이 우리들 조종사팀은 괌을 이륙한 후 로스앤젤레스로 향했다. 직행하라는 명령에 따르기 위해 우리는 최대한 북쪽 루트를 따라 비행하며 소위 '그레이트 서클' 노선의 이점을 취해야 했다. 지구의 둘레는 이 북위 노선에서 상대적으로 짧기 때문이다.

우리는 또 연료를 절감하기 위해 최대한 높이 비행했다. 연료상황을 원칙대로 매 점검 포인트마다 했을 뿐 아니라 그 두배 이상 자주 했다. 거짓말이 아니다. 하나님이 도우셨는지 날씨가 좋았고 연료를 많이 소모시키는 맞바람이 없었다. 우리 모두의 눈은 계기판, 특히 잔여연료 표시판에 꽂혀 있었다.

예를 들어 설명하면 시속 200마일로 나르던 비행기가 시속 100마일의 맞바람을 만날 경우 비행속도는 시속 100마일로 줄어든다. 공기 저항이 클수록 비행기도 강한 힘을 필요로 하며 결과적으로 더 많은 연료를 소모하게 된다.

장장 17시간의 이 비행 도중 특히 기억나는 게 있다. 승객들의 상황이 어떤지 알아보려고 조종실에서 나는 승객 칸으로 갔다. 내가 본 것은 어두운 객실 안에 커다랗게 뜬 눈들이 전부였다. 난민들이 모두 조바심을 앓는 환자처럼 보였다. 불확실성에 대한 공포였다.

그들은 우리 비행기를 타고 새로운 고향으로 날아가고 있었다. 똑같은 일을 나도 오래 전에 했었다. 우리가 목적지인 로스앤젤레스에 도착하면 난민들은 비행기에서 내려 캘리포니아 밖의 다른 목적지를 향해 버스로 수송될 것이다. 내 생각엔 루이지애나일 것 같았다. 캄보디아와 라오스와 베트남 출신 보트 피플. 대대손손 어부였고 기후도 비슷하다. 특히 공통적으로 통제된 새우산업을 갖고 있다는 점이 중요하다.

나는 그 뒤 다시 2층의 조종실에서 나와 아래 객실로 내려가면서 여승무원에게 비행도중 난민들의 상황이 어땠는지 물어봤다. 그녀는 어른들이 식음을 전폐했다며 아이들에게도 먹지 않고 오히려 아이들이 먹거나 마시지 못하도록 단속했다면서 그런 모습은 생전 처음 봤다고 말했다. 나는 나름대로 이유를 추측해봤다. 아마 너무 겁에 질렸기 때문에 음식마저 의심한 건 아닐까? 캄보디아와 라오스 출신 보트 피플은 자기네 모국에서 일어난 잔학상을 봤기 때문에 그럴 수도 있다. 하지만 이들이 홍콩으로 간다고 해도 저랬을까?

나는 비행기 뒤쪽으로 걸어가서 오물 추출장치를 점검했다. 비행기에 오물이 전혀 없는 것이었다. 여승무원이 "배설물이 없는 비행기는 난생 처음 봤어요. 도대체 웬일인가요?"라고 말했다.

그 말에 충격 받은 나는 걷잡을 수 없이 울음을 터뜨렸다. 내가 부산에서 겪은 어려웠던 시절의 기억이 새로웠기 때문이다.

나는 속으로 생각했다. 보트 피플이 비행중 내내 아무것도 먹지 않았단 말인가? 왜 저렇게 두려워하는가? 나는 화장실과 관련해 어떤 고장이 있는지 알아보려고 정비기록을 점검했다. 아무 문제가 없었다.

제 9 장

도쿄주재 주일미국대사관

한국 국방부 근무가 끝난 뒤 나는 FAA로 귀환해 일본 도쿄 주재 미국대사관에서 1980년 6월부터 1981년 7월까지 항공 자문관으로 일했고, 1981년 7월부터 1982년 2월까지는 수석 자문관으로 일했다.

당시 내 임무는 팬 아메리칸 항공(PAA)과 노스웨스트 항공(NWA) 등 태평양 노선의 두 주요 미국 국적기 항공사를 포함한 기타 미국 국적기 항공사들을 감독하는 일이었다. 우선적으로 도쿄-홍콩-방콕-발리-호놀룰루-로스앤젤레스로 이어지는 PAA 노선을 점검했다. 당시 NWA 노선에는 서울을 비롯한 태평양의 다른 도시들이 포함되어 있었다.

나는 정규검사는 물론 예고 없이 현장 점검도 실시했다. 기장, 1등 항법사, 엔지니어 등 조종실 요원들을 상대로 조사했고, 그 밖에 FAA의 뉴욕사무소가 지시하는 특별사항도 조사했다. 이 뉴욕사무소는 PAA 자격증 발급을 책임지고 있었다.

이 같은 노선점검은 당연히 NWA에도 실시됐다. 무작위 불시 노선점검은 비행기가 이륙하기 2시간 전에 해당 항공사의 운항관리소를 찾아가 실시했다.

보통 이륙하기 전 조종사 일행은 운항 관리실에 모여 브리핑을 듣는다. 나는 그곳을 방문해 내가 FAA 조사관임을 알리고 전체 노선을 시종일관 조종실에 앉아 점검했다. 비행기가 목적지에 도착하면 나는 기장에게 점검사항들을 되돌려 브리핑을 해주었다.

리처드 닉슨 대통령이 중화인민공화국(PRC)과 국교를 수립한지 2~3년 지난 뒤인 그 무렵 PAA는 중국으로 비행한 역사적 첫 미국 국적기가 됐다. 동시에 중국민항(CAAC) 항공기도 미국노선에 취항했다. 이는 제 2차 세계대전 후 항공계에서 일어난 가장 큰 사건이었다.

이 노선에 취항한 PAA의 첫 비행기는 뉴욕을 이륙해 도쿄를 경유한 후 베이징에 도착했다. 당시 내가 도쿄에서 한 일은 미국 국적기들이 중국의 베이징에 도착할 때까지, 그리고 다시 돌아올 때까지, 안전운항을 위한 정보를 제공하는 것이었다.

당시 내가 도쿄에서 일하면서 행운으로 느낀 점이 세가지가 있다.

첫째, 여러 종류의 항공자격 가운데 비행기 운항관리 자격증을 갖고 있었다는 점이다. 비행의 처음부터 마지막까지 운항을 관리할 수 있도록 훈련을 받았었다.

둘째, 일본 항공기들이 베이징을 운항하는 도쿄에서 일하고 있었다는 점이다. 정보는 그들이 통제하고 있었지만 내가 필요한 부분을 습득할 수 있었다.

셋째, 내가 1973년 DPE로서 담당지역을 처음 순회했을 때 사귀었던 사람들이 이제 일본 민간항공국(JCAB)에서 상급 매니저나 국장급으로 승진해 있었다는 점이다. 얼마나 큰 행운인가? 이 세 가지 면에서 모두 배경을 갖추었다는 점이 내가 도쿄에서 임무를 완수하는 데 크게 도움이 됐다.

실로 PAA의 중국행은 대단히 역사적인 비행이었다. 모든 비행의 어머니라고 해도 과언이 아니다. 이 비행으로 말미암아 중국은 미국에 문을 열어주게 됐다. 나는 일본에서, 특히 미 대사관에서 맡은 내 직분으로 이 일에 조금이나마 기여했다는 것을 자랑스럽게 생각한다.

참고로 말씀드리면, 옛날 나의 ROTC 군사과학 교관이었던 로버트 로웰 대령은 닉슨 대통령의 역사적 중국 공식 방문 때 대통령 전용기 '에어포스 원'(B707)을 조종했다.

나의 여행은 계속되다

나는 1982년 2월부터 같은 해 6월까지 괌에 소재한 FAA 동남아시아 국제지사에서 괌 수석 자문관 직함으로 일했다. 그 뒤 이 지사의 매니저로 승진해 1983년 10월까지 근무했다.

당시 나의 목표는 괌 지사를 닫고 그 책무를 호놀룰루 비행표준지역국(FSDO)으로 전환하는 일이었다. 그 당시 호놀룰루 지역국은 하와이 서쪽 지역의 모든 비행업무를 총괄하고 있었다.

그 후 1983년 10월부터 1984년 1월까지 나의 임지는 FSDO 비행표준지역국이었고 직책은 수석항공운영 조사관이었다. 임무는 괌 지사와 호놀룰루 지사를 통합하는 것이었다. 나는 많은 시간을 하와이안 항공(HAL)의 수상 연장운영(Extended Operations: ETOPS) 프로그램에 할애했다. ETOPS는 당시 많은 조종사들 사이에 "엔진을 시동하는 사람이 없으면 승객들은 수영한다(Engine Turners Or Passengers Swim)"라는 농담으로 둔갑돼 회자됐다.

나는 1984년 1월부터 1987년 7월까지 고향 로스앤젤레스로 돌아와 서태평양 지사에서 지역 항공운송 전문가로 일했고 1986년 8월부터 1987년 6월까지는 같은 장소에서 극동 프로그램 담당 매니저를 겸했다.

그 직책에서 일하면서 나는 1년중 6개월가량을 여행했다. 워싱턴DC부터 극동지역까지 목적지가 다양했다. 그 후 1987년 9월부터 사우디 아라비아에서 비교적 긴 기간을 근무하기 시작했다. 나의 첫 직함은 해당 지역을 책임지는 FAA 사업국장이었다. 그해 6개월간은 벨기에의 브뤼셀주재 미국대사관에 배치돼 사우디 아라비아 왕국 정부와 협조하는 일을 맡았다.

그 직책은 1988년 6월까지 계속되었다. 그리고 1988년 7월부터 1992년 6월까지는 주 사우디 아라비아 미국대사관의 FAA 사업국장으로 일했다.

'가족 조종사'인 어머니로 부터 배운 교훈

중동과 아시아 지역 여러 나라에서 여성들이 남편을 비롯한 남성들에게 복종적인 점을 감안할 때 이상하게 들릴지 모르지만 한국인 가족은 미묘한 모계사회라 할 수 있다.

한국말 '엄마'는 영어의 '맘마'와 같다. 어느 누구도 그보다 더 가까운 사람은 없다. 엄마는 자녀를 위해 모든 것을 희생한다. 물론 이런 면에서는 세계의 모든 어머니도 마찬가지라고 믿는다. 그들은 모두 가사를 처리할 수 있는 리더십의 능력을 갖추고 있다. 어머니는 가족 주변에서 일어나는 일들을 지휘하고 통제하며 정보관리를 도맡는 사람이다. 군사용어로 말하면 'C3I'이다. 즉 Command, Control, Communication 및 Intelligence를 하나로 뭉뚱그린 임무를 수행하는 사람이 엄마이다.

무엇보다도 한국의 엄마는 가정의 재정을 관장한다는 점이 특기할만 하다. 한국인의 가정생활에서 아버지는 제2인자가 되기 십상이다. 겉으로 보기에는 한국의 아내들이 남편에 꼼짝 못하고 복종하는 것 같지만 실제로는 그렇지 않다. 가정의 돈줄을 쥐고 있는 사람은 아내이다. 밖으로 드러나는 시시콜콜한 가정사들은 모두 엄마가 연출

하는 드라마이다.

우리 가족도, 제2차 세계대전이 끝난 뒤인 까마득한 옛날부터 이미 어머니(민병윤)가 많은 주요 결정을 도맡으셨다. 나의 인생이 현 시점까지 이르게 된 것도 궁극적으로는 어머니의 결정 덕분이었다. 우리 가족이 외국에 나가는 것을 어머니가 거부했을 경우 어찌 됐을지 상상해본다. 우리의 외국진출 배경에는 아버지에 대한 어머니의 전폭적인 지지가 깔려 있다. 더구나, 우리 가족이 미국에 남아 있기로 한 결정도 어머니 몫이었다.

우리 가족이 한국에 돌아온 후 어머니는 생존을 위한 각종 결정에 앞장을 섰다. 만약 어머니에게 타고난 '엄마 본능'이 없었더라면 우리 가족의 삶은 한 순간에 쓰러졌을지도 모른다. 우리가 미국으로 되돌아갈 수 있도록 가족비자를 획득한 쾌거도 어머니가 앞장서서 추진했다고 나는 굳게 믿는다.

어머니는 아버님과 함께 소장 예술품들을 외부에 많이 기증하셨다. 어머니의 소장품 가운데는 신라, 고려 시대까지 거슬러 올라가는 것들도 있었다. 외증조부님이 대대로 전해져온 귀중한 소장품들을 어머니에게 물려주셨기 때문이다.

많은 미주 한인들이 우리 어머니의 자선기부 공덕을 기억할 것이다. 어머니는 한국예술 소장품들을 나눠줌으로써 사회에 환원시키셨다. 특히 '천사의 도시'로 불리는 로스앤젤레스에서 많이 기부하셨다. 어머니는 지난 2010년 하와이 빅 아일랜드의 힐로에서 92세로 돌아가셨다.

대부분의 사람들이 자기 어머니를 생각할 때 그렇겠지만, 나도 내 마음 속에 어머니가 항상 내 곁에 계셔서 언제까지나 잊혀지지 않을 것이다.

지상과 공중에서 훌륭한 조종사 되기

훌륭한 조종사가 되는데 필요한 기술과 철학은 다른 직업 또는 인생에서 성공하는데 필요한 기술 및 철학과 실제로 비슷하다. 무엇보다도 매사에 치밀해야 한다. 자기가 하고자 하는 일을 잘 알아야 한다. 일에 임할 준비태세가 돼 있어야 한다. 독자 여러분이 이런 모든 것들을 조종사에게 기대할 것이라고 나는 감히 말한다. 조종사는 여러분의 생명을 손에 쥐고 있기 때문이다!

최상의 조종사가 되기 위해 필수불가결한 요건으로 내가 맨 먼저 꼽는 두마디 단어가 있다. '생명 우선'이다. 말할 것도 없이 생명은 무엇보다도 가장 귀중하다. 조종사라면 언제나 안전을 생각해야 한다. "내가 이렇게 할 경우 어떤 결과가 일어날 것인가. 최악의 시나리오는 어떤 것인가"라는 질문을 항상 스스로에게 해야 한다.

예를 들어보자. 조종사는 A지점에서 B지점으로 비행할 때 스스로 묻는 질문이 있다. "만약 엔진에 사고가 발생할 경우 어디에 착륙할 것인가"이다. 기장은 그런 상황에서 비상착륙을 할 수 있는지 여부와, 할 수 있다면 그 장소가 어디인지 알고 있어야 한다.

우리들 조종사는 실수를 해도 적당히 넘어갈 여지가 거의 없다. 그것이 우리 직업의 현실이다. 이런 정신자세가 우리의 준비태세를 높여주는 것이다.

이 점은 소방관, 경찰관, 의사, 군인들도 마찬가지다. 매사에, 심지어 실수의 면책 여지가 있는 일일지라도, 이런 정신자세로 임한다면 능력이 크게 향상돼 어떤 일을 하더라도 더 좋은 결과를 낼 수 있다는 것이 나의 철학이다. 어떤 직업분야에서든 크게 성공한 사람들은 모두 이 같은 견해를 전폭 지지할 것이라고 믿는다.

그렇게 함으로써 다른 사람들보다 좀 더 유리한 고지에 오를 수 있다.

제 10 장

사우디 아라비아와 '사막 폭풍' 작전

내가 그동안 수많은 나라를 돌아다니고 살아보기도 했지만 사우디 아라비아는 서방사람이 된 나에게는 참으로 색다른 나라였다. 내가 그곳에서 처음 맡은 직책과 임무영역은 FAA 사업국장으로서였다. 이 직책은 1988년 6월까지 계속됐다. 그 중 1987년 12월부터 1992년 6월까지는 FAA 사업국장과 사우디 아라비아 왕국 주재 미국대사관의 수석 자문관직을 겸했다.

내가 사우디 아라비아에서 근무했을 때 FAA의 민간항공 지원 그룹(CAAG)은 민간항공 관리청(PCA)에 기술적, 전문적 자문 서비스를 제공했다. 우리는 이 서비스를 미국 국내에서 하던 것처럼 FAA의 전반적 임무를 포괄하는 다양한 프로그램 규율에 따라 실시했다.

CAAG가 사우디 아라비아에서 PCA에 자문 서비스를 제공한 것과 관련해서 한가지 빼놓을 수 없던 기능은 사우디 아라비아 왕국으로 하여금 항공 규제시스템을 자체적으로 운영하고 유지하는 능력을 자급자족 수준까지 끌어 올리는 일이었다. 우리는 이를 'Saudization'(사우디화)'이라고 불렀다.

물론 CAAG가 사우디 왕국에서 수행한 기능의 또 다른 부분은 FAA의 기본 임무인 항공 표준과 안전문제의 영역이었다.

사우디 아라비아에서의 생활에 관해 이야기하자면, 모든 나라마다 특성이 있긴 하지만, 나 같은 지구촌 여행자들이 보기에도 사우디 아라비아는 외국인들에게 모든 면에서 가장 다르게 보이는 나라였다. 문화적인 면에서부터 일상생활 스타일에 이르기까지 그랬다.

외국의 임지에서 일하게 되면 때때로 두명의 상사에게 보고하지 않을 수 없다. 드물긴 하지만 전시 중에는 상사가 3명으로 늘어나기도 한다. 내가 중동지역에서 일할 때 바로 그런 상황을 맞았다. 여러가지 면에서 곤란을 겪었다.

나는 그런 근무상황을 곧잘 '아라비아의 로렌스'에 비유했다. 말하자면 '아라비아의 장씨'였던 셈이다. 나는 근무지가 두곳이었다. 하나는 미국대사관이었고 다른 하나는 사우디 아라비아 당국 사무실이었다. 내가 맡은 일이 다르므로 양쪽 상사에게 보고할 사안도 다를 수밖에 없었다. 그에 더해 워싱턴DC의 FAA 오피스와, 때때로 유엔의 국제민간항공기구(ICAO)에도 보고해야 했음을 독자 여러분이 유념해 주시기 바란다.

사우디 아라비아의 근무환경은 국외자나 나 같은 외국인들에게는 상상하기가 대단히 어렵다. 모든 일이 아침에 일어나면서 시작되지만 사우디 아라비아에선 정오가 지날 때까지 일이 시작되지 않는다. 낮 12시 이전에 정부기관의 기도회가 5차례 이어지기 때문이다.

이 같은 일이 사우디 아라비아와 그 국민들에게는 신성시 되지만 우리 외국인들은 그와 상관없이 아침에 일하는 것이 익숙하다. 미국본토 동부 표준시간과 12시간이 차이 난다는 것 외에도 어려움이 많았다. 그러니 마술사가 될 수밖에 없었다. 그것도 익숙한 마술사여야 했다. 나는 때때로 "로렌스라면 어떻게 했을까"라고 자문했다. 하지만 그와 임무가 달라도 해내야 했다. 기억하시겠지만 나는 이 방면에서 어린 시절 훈련을 받았었다.

걸프전쟁 때 케네디 항공모함에 근무

사담 후세인이 이끄는 이라크군이 1990년 8월 쿠웨이트를 침공했다. 이에 대한 조지 H. W. 부시 대통령의 반응은 매우 강경했다. "결코 용납하지 않겠다"는 것이 그의 말이었다. 당시 국제사회는 이라크가 쿠웨이트를 합병하도록 내버려둘 경우 세계 석유매장량의 엄청난 양이 후세인의 손아귀에 들어간다는 점에 불안을 느꼈다. 후세인은 이미 쿠웨이트를 합병했다고 호언했다. 물론 주권국가의 침공 자체가 문제가 됐다. 쿠웨이트가 전제국가이긴 했지만 세계무대에선 위협적인 존재로 간주되지 않았다고 나는 생각한다.

'사막 폭풍'(Desert Storm) 작전이 즉각 개시돼 1991년 1월 17일까지 계속됐다. 이 6개월간 이라크군을 쿠웨이트에서 철수시키려는 외교노력이 실패로 돌아갔다. 부시 대통령은 35개국이 참여한 강력한 국제연맹군을 결성, 이라크의 쿠웨이트 철수를 군사적으로 강행할 준비태세를 갖췄다.

이라크의 쿠웨이트 침공에 사우디 아라비아가 불안을 느낀 것은 충분히 이해할만 했다. 석유매장량이 많고 미국의 가까운 맹방인 사우디가 이라크의 다음 침공목표가 될 것이라는 것이 사우디 정부는 물론 주변 국가들의 우려였다.

아랍권에서의 지위를 크게 위협받은 사우디 아라비아는 전쟁을 막기 위해 미군 및 연맹군이 자국 영토에 주둔할 수 있도록 즉각 합의했다. 결과적으로 사우디 영내에 군대가 증강되고 전투작전이 수행됐다.

사우디 아라비아가 자국 영토에 미군 투입을 허용한 것은 전무한 상황이었다. 이에 따라 많은 사우디 국민이 분노했고 사우디 항공을 공격목표로 삼았다. 이런 상황을 막도록 돕는 것이 내가 당시 사우디 아라비아에서 해야 할 일 중에 포함됐었다.

당시 전쟁 기간에 소위 '독수리 팀'으로 불린 외교단이 가동됐었다. 이 팀의 구성원은 사우디 아라비아 주재 미국대사와 대사관 고위

1991년 사우디 아라비아의 파드 국왕을 만났을 때.

직원들을 비롯해 통상적으로 10명 이내였다. 나는 독수리팀 구성원의 한명으로 '사막 방패'(Storm Shield) 및 '사막 폭풍'(Desert Storm) 작전에 참여했다. 걸프전쟁 기간 중 나는 며칠간 홍해 상의 미 해군 케네디 항공모함에서 근무했다. 이 군함은 전쟁 발발 직전 이라크의 바그다드를 향해 서쪽으로 항해하고 있었다. 당시 해군은 부수적 임무를 맡아줄 사람들이 필요했다.

나는 사우디 아라비아에서 근무하는 동안 파드 국왕을 만났다. 내가 "각하, 내가 이곳에 근무하는 것을 영광으로 생각합니다"라고 말하자 파드 왕은 통역을 통해 "당신이 이곳에 와준데 대해 내가 표하는 우리의 감사를 받아주시오"라고 대답했다.

나는 걸프전쟁 기간 중 파드 왕과 직접 얘기한 건 한번이지만 그와 만난 건 두번이었다. 나는 부시 대통령과도 두차례 만나 두차례 모두 대화를 나눴다.

그 밖에 제임스 베이커 국무장관 및 딕 체이니 국방장관과도 몇 차례 얘기를 나눴다. 이런 일들은 내가 1991년 중반 걸프전쟁 기간 중 사우디 아라비아의 리야드와 제다에서 일할 때 일어났다. 의료장비 등 편의시설이 완비된 사우디 국왕의 B-747 전용기는 걸프전쟁 기간 중 앞서 언급한 사우디의 프레지던시 민간 항공국(PCA)이 관리했다.

조지 H. W. 부시 대통령을 만나다

나는 걸프 전쟁 기간 중 '부시 41'로도 불렸던 조지 H. W. 부시 대통령을 만났다. 제다에 있는 파드 국왕의 왕궁에서였다. 그곳에서 본 홍해의 아름다운 전망을 나는 다른 어느 곳에서도 보지 못했다. 아마도 동화에나 나올 듯한 황홀경이었다.

파드 국왕이 주최한 만찬은 최고급이었다. 다른 공식 만찬과 달리 국왕의 근위병들도 참석했다. 부시 대통령 및 파드 국왕과 함께 만찬을 즐기는 동안 내 아내는 다른 방에서 파드 왕비 및 부시 영부인과 함께 저녁을 먹고 있었다.

내가 부시 대통령과 나눈 얘기는 FAA의 중동전 참여에 관한 것이었다. 부시 대통령이 나에게 사우디 아라비아에서 FAA가 일하는 연유를 물었다. 내가 우리의 임무에 관해 짧게 설명하자 대통령은 FAA가 현지에서 일하고 있음을 만족해했다.

부시 대통령은 대단히 정중하고 말씨가 부드러웠으며 다른 사람의 말도 경청하는 분이었다. 그는 제 2차세계대전 중 태평양 상공에서 토피도(공뢰) 폭격기를 조종했었다. 대통령은 그 이야기를 나에게 마치 조종사 대 조종사의 대화처럼 했다. 우리는 곧바로 연대감을 가졌다.

당시 내 아내는 건강문제로 체중이 많이 줄어 있었다. 놀랍고도 재미있었던 일은 왕비가 아내 바로 곁에 앉아서 그녀에게 체중을 늘리

1991년경 미 해군 항공모함 케네디호 함상에서 이글팀과 함께.

고 힘을 내야 한다며 음식을 먹도록 계속 권했다는 사실이다. 왕비는 그날 저녁 거의 내내 아내의 손을 잡아줬다. 왕비의 이 같은 친근한 모습을 많은 참석자들이 목격했다. 부시 여사도 이를 놀랍게 여기고 왕비가 내 아내를 좋아하는 것으로 생각했다.

부시 여사도 내 아내와 여러가지로 얘기를 나눠 마치 내 아내가 이날 저녁 만찬의 중심인물처럼 느껴질 정도였다. 부시 여사는 아내에게 자기 애완견 '밀리'에 관해 얘기했고 아내도 자기 애완견 '더스티'에 관해 얘기했다. 사우디 아라비아에는 애완견을 기르는 가정이 거의 없었다. 사우디 국민들에겐 개를 기르는 것이 용납되지 않았다. 개가 혐오 대상일 뿐 아니라 아예 법으로 개 사육이 금지돼 있었다. 부시 여사는 '밀리'를 귀여워했고 여행 중 밀리를 그리워했다. 그녀는 대통령도 자기만큼 밀리를 그리워한다고 언급했다. 내 생각에 부시 여사는 우리 '더스티'도 보고 싶어 했을 것 같다. 걸프전쟁 기간 나는 사우디 정부와 조지 H. W. 부시 대통령으로부터 '사막 방패' 및 '사막 폭풍' 작전에 기여한 공로를 인정받아 상패를 받았다.

나의 여권들

이제 나의 여권에 얽힌 이야기도 좀 할 필요가 있다. 나는 미국정부가 발행한 3 종류의 여권을 소지하고 있었다. 파란색 개인 여권, 빨간색 공무원 여권 및 까만색 외교관 여권이었다.

구체적으로 설명하면, 미국정부를 대리해서 여행하는 외교관들은 까만색 여권을 사용했다. 이 여권은 우리가 외교관 신분이며 그에 상응하는 외교관 면책권과 특혜를 누릴 수 있음을 증명한다. 빨간색 여권은 공무상 여행이지만 외교관이 아닌 사람들이 사용했다. 물론 개인 여권은 개인적 용무로 여행할 때 사용된다.

이들 세 여권을 때와 장소에 따라 각각 구별해서 사용하는 것이 매우 중요했다. 예를 들어서 내가 이스라엘에 입국하면서 그 나라 출입국관리소 도장을 받은 여권으로는 사우디 아라비아에 입국할 수 없다.

사우디 아라비아 주재 미국대사관 무관들과 함께

사우디 아라비아와 일부 다른 아랍 국가들은 이스라엘에 매우 적대적이다. 만약 사우디 관리들이 내 여권에서 이스라엘 입국 기록을 발견하면 내 이름이 사우디 아라비아 입국 영구금지 대상자 데이터베이스에 올려지기 십상이었다.

그래서 나는 이스라엘에 입국할 때는 빨간색 공용 여권을, 사우디 아라비아에 입국할 때는 까만색 외교관 여권을 각각 제시하는 편법을 사용했다.

분명히 말하건데, 사법제도가 엄격한 외국에 들어갈 때는 외교관 면책특권이 딸린 까만색 여권을 사용하는 것이 좋다. 미국에서는 별 일 아니지만 해당 국가에선 매우 중대한 범죄로 간주되는 일에 연루될 수 있기 때문이다.

여러나라를 방문할 때는 나중에 필요에 따라 입국하게 될지도 모르는 다른 나라들을 미리 염두에 두고 선별적으로 여권을 사용하는 것이 매우 중요하다.

드디어 로스앤젤레스 집으로

나는 1992년 이전에 결정할 일이 하나 있었다. 귀국해서 일하기 위해 FAA의 어느 직책을 지망할 것인가 하는 문제였다. 캘리포니아주 론데일의 옛 부서도 좋았고, 아니면 워싱턴DC의 본부도 좋았다. 나는 FAA의 고참 행정관으로서 이미 고위 장성급의 반열에 올라 있었다. FAA에서의 11년 경력을 군인계급과 비교하면 육군 준장에 해당한다.

사우디 아라비아에서 근무할 때 우리를 보시려고 찾아오신 아버지는 내가 가능하면 로스앤젤레스 지역으로 오는 것이 좋겠다고 하셨다. 그래야 자신이 손자들(내 두 아들)과 가까이 있을 수 있기 때문이었다. 내가 너무 오래 해외에서 일했기 때문에 아버지는 당연히 손자들을 자주 보지 못하셨다.

아버지는 말씀하시지 않았지만 나는 아버지가 병환중이심을 감지했다. 그래서 나는 로스앤젤레스의 집으로 돌아가기로 결정했다. 당시 나는 아버지가 6개월 안에 돌아가실 줄은 몰랐다. 아버지는 1993년 돌아가셨다.

지금 생각하면 내가 워싱턴DC로 가지 않은 것이 내 생애의 가장 큰 선물이었던 것 같다. 만약 DC로 갔더라면 나는 틀림없이 그 마지막 몇달 동안을 우리 가족이 아버지와 함께 하지 못했고 아버지가 우리와 함께 하시지 못한 것을 두고두고 아쉬워했을 것이다.

그렇게 해서 나는 1992년 6월부터 2002년 4월까지 남가주 론데일에 소재한 FAA 서부-태평양 지역국의 특수사업국장으로 일했다.

내가 이끈 부서의 관할지역은 폴리네시아, 마이크로네시아, 멜라네시아, 인도네시아 및 동남아시아를 포함하는 수백만 평방마일에 뻗어 있었다. 이 지역에서의 운영상의 문제, 사고원인 조사, 규정위반 적발 및 제반 행정업무는 모두 나와 내 팀의 직권 사항이었다.

내 구역에서 운영상 잘못된 일이 발생할 경우 나는 징계위원회의 일원이 돼 그에 대해 어떤 벌칙을 내려야 할지 결정하곤 했다. 우리는 그 일을 'EIR'이라고 부른다. 시행조사보고서(Enforcement Investigative Report)의 줄임말이다. 그 징계는 행정 조치일 수도, 면허상의 제재(취소 포함)일 수도 있다. 어떤 징계가 결정되더라도 나의 입김이 작용했다. 나는 FAA 경력 중 700건이 넘는 EIR을 작성해 종전 기록을 갱신했다.

이상 말씀드린 것처럼 내가 FAA에서 한 일은 여러면에서 독특했다. FAA는 행정, 인사, 기술, 비행교통 규제, 공항 지원 등 다양한 분야에 5만명 이상을 고용하고 있다. 그 가운데 나 같은 FAA 비행 표준 운영 담당관은 3,000여명에 불과하다. 그 3,000여명 중에서도 약 10%만 해외 임지에 파견되고, 그 중에서도 극소수만 도전적 업무환경의 부서에 배치된다.

제 11 장

2001년 9.11 테러

뉴욕시, 기온이 화씨 64도로 화창한 초가을 날씨를 보인 2001년 9월 11일 아침, 우리 모든 미국인들의 세계가 바뀌었다. 평소대로 시끌벅적 활기가 넘친 도심 맨해튼에 갑작스럽게 귀청이 째지는 소음이 덮쳤다. 너무 낮게, 또 너무 빠르게 날아가는 제트 여객기가 내는 소리였다.

나는 그 시간 차를 몰고 출근하면서 평소와 달리 라디오 뉴스를 듣지 않았다. 그날 아침에 미국에 경천동지할 참사가 일어난 것을 까맣게 모르고 있었다.

나는 캘리포니아주 론데일에 소재한 FAA-태평양지역국 사무실에 6시 45분 도착했다. 통상적으로 근무시작 시간보다 15분 먼저 출근했다. 영구적으로 9.11이라는 줄임 말로 불리게 된 그 날도 마찬가지였다.

내가 출근하기 전에 이미 미국 동부해안에서 엄청난 비극이 일어났고, 결과적으로 수천명의 무고한 시민이 테러범들의 손에 목숨을 잃었다.

나는 사무실 건물에 도착하자마자 뭔가 좋지 않은 일이 일어난 낌새를 느꼈다. 주차장을 거쳐 건물 안으로 들어가는 동안 경비가 삼엄했다. 평소보다 경비원들이 증강돼 있었다. 출입구 정문에서부터 신분증 제시를 요구받았다. 전에는 한번도 그런 일이 없었다. 건물 내 1

층으로 들어서자 경비는 더 삼엄했다. 분명히 뭔가가 잘못 돼 있었다. 심지어 우는 사람들도 있었다. 순간, 대통령이 사망한 것이 아닌가라는 생각이 머리를 스쳐갔다.

오전 8시46분(동부시간) 아메리칸 항공 11편기인 보잉-767기가 5명의 테러범에 공중 납치돼 세계무역센터 쌍둥이 건물의 북쪽 타워를 들이받았다. 충돌지점은 93층과 97층 사이였다. 비행기에 들어 있던 1만 갤런 가량의 제트유가 폭발하면서 대형 화재를 촉발시켰다. 순식간에 수많은 무고한 목숨이 쓰러졌다. 잠시 후 이어진 또 다른 테러가 역시 수많은 목숨을 앗아갔다. 여객기 여승무원 베티 옹이 자신과 승객 전원이 몰사하기 전에 FAA의 항공교통 통제소에 비행기가 테러범들에 납치됐음을 알렸다. 그녀는 9.11 테러 최초의 영웅 중 한 명으로 꼽힌다. 버지니아주 허돈에 소재한 FAA 본부의 벤 슬리니 전국 운영국장은 옹이 신고한 내용 이상을 알 수가 없었다. 슬리니를 비롯한 어느 누구도 그 비행기가 정말로 공중납치 됐는지, 납치범들이 의도적으로 자살충돌을 감행한 테러행위인지, 아니면 조종술이 서투른 납치범들의 실수로 인한 사고인지 파악할 수가 없었다.

모든 사람이 공황상태에 빠졌다. 이어 오전 9시 1분, 조종사 실수라는 의문은 말끔히 해소됐다. 역시 보잉-767 기종인 유나이티드 항공의 175편기도 5명의 테러범들에 공중 납치돼 세계무역센터의 남쪽 타워를 들이받았기 때문이다. 충돌지점은 77층과 85층 사이였다. 역시 1만 갤런의 제트유가 폭발하는 바람에 건물이 불길에 휩싸였고 사망자 수는 북쪽 타워에 이어 더욱 늘어났다.

즉각적으로 슬리니는 미국이 공격당하고 있음을 간파했다. 그는 전례없이 강력한 FAA 명령을 발동했다. 미국 전역에서 민간 항공기의 이륙을 금지시킨 것이다. 항공사의 모든 여객기들이 추후 통보가 있을 때까지 활주로에 묶이게 됐다. 하지만 이미 4,000여대의 민간 비행기들이 공중을 나르는 상황이었다. 테러범들이 그 중 어느 한 대를 납치해 또 다른 비극을 촉발할지 모르는 판국이었다.

아니나 다를까, 오전 9시 37분(동부시간) 역시 아메리칸 항공의 77편기가 버지니아주 알링턴에 소재한 펜타곤(국방부)의 서쪽측면에 충돌해 184명의 무고한 사망자를 냈다.

슬리니도 대응수준을 높였다. 비행중인 4,000여대의 민간 항공기들이 모두 착륙하도록 명령했다. 역시 전례 없는 조치였다. 이들 모든 항공기가 일시에 착륙한다는 것은 안전상 위험이 따를 수 있었다. 항공사들이 수백만달러의 손해를 볼 수도 있었다. 하지만 슬리니는 아무런 조치도 취하지 않으면 그보다 더 큰 피해를 입을 수 있다고 판단했다. 그의 착륙명령을 따르지 않고 계속 공중을 나는 비행기는 테러범에 납치된 것으로 추정될 수 있었다.

실제로 그런 비행기가 있었다. 유나이티드 항공의 93편기였다. 세계무역센터 건물들이 공격당했음을 안 이 여객기의 용감한 승객들이 격투를 벌여 비행기를 되찾은 후 테러범들이 목표로 했던 건물과의 충돌을 피함으로써 희생자 수를 최소한으로 줄였다. 그 여객기는 펜실베이니아주 생크스빌의 공터에 10시 3분 추락했고, 승객들은 모두 사망했다.

위에 내가 기술한 내용 중 대부분은 그날 아침 내가 사무실에 들어가 자리에 앉기 전에 이미 발생했거나 진행 중이었다.

납치된 비행기들이 세계무역센터를 들이받았지만 건물들이 아직 붕괴되지는 않고 있었다. 우리 FAA 요원들은 정보 및 경찰 당국 관계자들과 함께 이 사건이 사전에 공모된 것으로 결론지었다. 이제 우리가 해야할 일은 FBI(연방수사국)나 CIA(중앙정보국)와 달랐다. 그들의 일은 범인이 누구인지를 밝혀내는 것이지만 우리 FAA의 일은 미국의 영공을 지키는 일이었다. 내가 사무실에 들어섰을 때 분위기가 열기를 띤 것은 바로 그 때문이었다.

그날 아침 나는 정문을 들어서서 6층의 내 사무실로 가기 위해 엘리베이터 쪽으로 걸어갔다. 그 과정에서 목격한 이상한 낌새들은 앞서 얘기한 것과 같다. 사무실에 들어서자 동료 직원이 나에게 동부해안에서 발생한 사태를 간단히 알려준 뒤 모두들 빨리 통신센터로 가자고 재촉했다.

긴급사태가 발생하면 우리는 통신센터에 모였다. 그것이 운영절차의 기준이었다. 우리는 그곳에서 TV 실황중계를 통해 무역센터 건물들이 무너져 내리는 모습을 지켜봤다. 남쪽 타워는 오전 9시59분, 북쪽 타워는 10시28분에 각각 붕괴했다.

그날, 2001년 9월 11일, 19명의 알카에다 테러범들이 4대의 상업항공기(여객기)를 납치해 자행한 자살충돌 테러행위로 민간인 3,000여명이 목숨을 잃었다. 이들 민간인에 더해 소방관 343명과 경찰관 72명도 순직했다.

약 60년 전 프랭클린 루즈벨트 대통령이 일본군의 진주만 기습공격 직후 말했던 것처럼 2001년 9월 11일은 미국의 '21세기 치욕의 날'로 기억하게 됐다.

나는 너무나 목이 메었다. 이 같은 비극이 왜, 어떻게 일어날 수 있는지 자문했다. 나는 한동안 멍멍한 상태였다. 당연히 말로 형용할 수 없는 비극이었다. 이런 일이 어떻게 우리 뒷마당에서 일어날 수 있단 말인가?

나는 베트남 전쟁과 페르시아 만 전쟁을 모두 내 눈으로 목격했고, 어렸을 때 한국전쟁으로 폐허가 된 모국에 돌아가 그 참상을 겪었기 때문에 9.11 사태 정도의 충격은 능히 이겨낼 수 있을 것으로 생각했다. 하지만 아니었다. 어림도 없었다.

내가 일하고 있던 FAA 서부-태평양지역국 직원들은 비상사태 상황에서 앞으로 일어날 수 있는 어떤 사태에도 대응할 준비가 돼 있었다.

서부-태평양지역국의 지리적 책임관할은 캘리포니아, 네바다, 애리조나, 하와이 및 태평양의 폴리네시아와 마이크로네시아를 넘어 괌과 그 서쪽 상공까지 포함됐다. 우리는 상부로부터 명령을 받고 개별적으로 배치됐다.

서부-태평양지역국 비행 표준 특별사업국장으로서의 내 직책은 평상시의 정상절차와 한도를 넘어선 당시 상황을 관리하는 일이었다. 거기에는 FAA의 각 지부들이 9.11 테러로 인해 부수적으로 발생한 임무를 수행하는 데 있어서 혹시 나의 전문지식이 필요할 경우 이들과 협조하는 일도 통상적으로 포함됐다.

그때 9.11 테러와 관련해 내게 주어진 일은 모든 농업용 비행기를 지상에 묶어두는 것이었다. 우리 지역국은 모든 관련 연방기관과 각 주의 해당 기관 및 미국령 괌의 관련기관들과도 교신하고 있었다. 특히 앞서 언급한 4개 주의 FAA 비행 표준국 지역 사무소들과의 협조가 가장 중요했다. 이들 지역 사무소는 워싱턴DC의 FAA 본부와 우리 서부-태평양 지역국사무실에서 내려지는 모든 명령을 일선에서 수행하는 손발 같은 존재였다. 각 지역비행표준국은 규제 권한을 행사한다. 이들은 FAA의 명령을 빠짐없이 수행하기 위해 그 권한으로 관할지역 경찰 등 모든 사법집행 기관들과 협조한다.

우리의 책임 영역은 너무나 넓었고 관리해야 할 일도 끝없이 많았다. 가장 중요한 일이 농업용 비행기들을 지상에 묶어두는 것이었다. 그 이유는 이들 비행기가 탄저균 등 치명적인 생화학 독극물을 인구밀집 대도시 상공에 살포하는 데 이용될 수 있기 때문이었다.

FAA의 다른 모든 조사 담당관들도 비슷한 명령을 받았다. 하늘을 날고 있는 비행기든, 아니면 이미 착륙한 비행기든 가릴 것 없이 모든 비행기는 즉각적으로 발이 묶여야 했고 추후 통보가 있을 때까지 그런 상태를 유지해야 했다. 특히 살충제와 비료를 뿌릴 수 있는 농업용 비행기들은 규제의 우선순위가 높았다. 앞서 말한 것처럼 대량살상의 잠재력을 갖고 있기 때문이다.

미국 역사상 테러범들이 상업용 항공기와 민간 비행기들을 탈취해 대량살상 무기로 사용한 적은 한번도 없었다. 우리는 농업용 비행기들이 다음차례 무기가 되는 것을 결단코 허용할 수 없었다. 공중을 나는 모든 물체를 통제하는 것이 FAA 업무절차의 기준이 됐다. 농장 비행기들이 당연히 이에 포함됐다.

나는 거드름을 피우는 사람이 결코 아니다. 내가 마치 모든 문제의 해답을 가진 것처럼 착각하지도 않는다. 진실로 말하건대, 내가 9.11 테러에서 얻은 한 가지 교훈은 그런 위기를 예방하기 위해 노력의 강도를 높일수록 상황은 더욱 복잡해진다는 점과 사태가 많이 진전될수록 해결하기가 더욱 어렵게 된다는 점이다.

재난을 막는 요령은 피해가 가장 낮은 단계, 가장 간단하게 다룰 수 있는 단계, 즉 초기단계에 진압하는 것이다. 그것이 언제나 말처럼 쉽지는 않다는 것을 잘 안다. 하지만 이는 우리 자신의 삶에도 적용할 수 있는 훌륭한 교훈이라고 나는 믿는다.

우리는 2001년 9월 11일 수많은 영웅들을 목격했다. 테러범들에 맞서 싸웠던 항공기 승객들이 그랬다. 특히 세계무역센터 건물이 공격당했음을 알고 테러범들과 싸워 공격목표를 벗어나게 한 유나이티드항공 93편기 승객들이 그랬다. 그리고 자기들 생명의 위험을 무릅쓰고, 아니 자기들 생명을 버리면서까지, 구조작업을 벌인 경찰관들과 소방관들이 그랬다.

더 있다. 수많은 보통사람들이다. 자기 자신의 신변안전부터 신경써야할 끔찍한 상황에 갇혔으면서도 구조가 필요한 다른 사람들을 돕기 위해 자신의 생명을 아랑곳하지 않은 사람들의 감동적인 이야기

리처드 마이어스 전 합참의장이 코리아타운에 있는 김영옥중학교에서
열린 지역안보심포지엄에서 주제발표를 하고 있다.(2010년 3월4일)

가 끊이지 않았다. 무너져 내린 세계무역센터의 '그라운드 제로'에서
생존자를 수색하고 구조하고 청소한 사람들도 잊지 말아야 한다. 이 일
에 동원된 사람들 중 1,700여명이 9.11 테러와 관련해 질병을 얻었고
그중 150명 이상이 목숨을 잃었다.

우리들 FAA 직원들도 당일, 그리고 그 후 지금에 이르기까지, 더
많은 인명피해가 나오지 않도록 하려는 우리의 소임을 위해 나름대로
노력했다. 우리는 당시 위험의 최전방에 있지는 않았다. 그러나 우리가
하는 일이 전반적으로 그런 건 아니다. 진정으로 말하건대, 나는 9.11
당일과 그 후 미국의 영공을 안전하게 지키는 기념비적 노력의 한 부
분을 감당했다는 것을 명예롭게 생각하며 그 일에 함께한 동료들을 자
랑스럽게 생각한다.

전무후무할 재앙인 9.11 테러가 발생했을 당시 미군 참모총장은
리처드 마이어스 장군이었다. 모든 사령관이 그의 휘하에 있었고 모든
장병이 일치단결했다. 나는 국가안보관리심포지엄에서 마이어스 장군
과 함께 일할 기회가 있었다.

마이어스 장군은 키가 매우 크고 위풍당당하며 직선적 성격에 호감을 주는 인물이다. 나는 2009년 LA 국제공항에서 마이어스 장군을 픽업했을 때 즉각적으로 화통했다.

마이어스 장군과 나는 모 대사 및 예비역 장성과 함께 저녁식사를 했다. 다음날 열리는 국가안보심포지엄을 준비하기 위해서였다. 심포지엄 장소는 LA 코리아타운의 김영옥중학교 강당이었다. 김영옥 대령은 미국 육군에서 대령까지 진급한 최초의 한국계 미국인이다.

(왼쪽) 주미한국대사관 국방무관 김국환 준장, 이상희 전 국방부 장관, 데이빗 페트리어스 사령관과 나(2009. 11. 13)

백선엽 장군(왼쪽에서 세번째)이 미국 국방대학교를 방문한 날 베크리타즈 공군 장관, 타이 맥코이 박사, 체스터 장 박사가 환영연을 베풀었다.

제 12 장

교육받은 바탕위에
배우고 또 배우다

"교육, 또 교육"이 내 부친의 좌우명이었다고 앞서 독자들에게 말씀드린 것을 기억하실 것이다. 아버지는 내가 어렸을 때 한국말로 "배우고, 배워라. 배우지 않으면 세상을 모른다"라고 자주 말씀하셨다.

내가 배움의 길로 다시 돌아온 것은 나이 40이 넘어 FAA의 정규직원으로 일할 때였다. 분명히 말씀드리지만 나는 남가주대학(USC)을 중퇴한 후 직장의 근무수행을 통해 평생교육을 받아왔다고 자부한다. 하지만 나는 FAA에서 진급하고 싶었고, 그러기 위해서는 학력이 더 필요했다. 나는 학위를 갈망했고 취득할 태세가 되어 있었다.

나의 늦깎이 공부는 나 같은 공무원들의 연장교육을 위해 정부가 학비를 지원해줬기 때문에 가능한 것이었다.

괌에서 근무했던 1980년 초 나는 매릴랜드대학의 학사과정을 마치고 심리학 학사학위를 받을 수 있었다. 당시 그 대학의 일부 강사들이 앤더슨 기지로 우리 학생들을 찾아와 강의했고 그 후 통신교육 코스로 가르쳤다.

그 무렵, 나는 오클라호마대학의 대학원 과정을 수료하고 인류자원학 석사학위를 취득했다. 이 학위 역시 내가 오클라호마의 FAA 아카데미에 있는 동안 강의실 교육과 통신교육을 병행해 이뤄졌다.

나는 1982년 괌의 앤더슨 기지에 있는 공중전대학에서 수강했다. 이 코스는 지역사무소 간부 이상을 위해 마련된 것으로 공중전 과학 분야의 석사학위에 해당했다.

　　나는 1983년 고향 같은 로스앤젤레스로 돌아와 맨 먼저 FAA의 서부–태평양지역국 사무실에 발령받았다. 그 후 5년간은 내가 해외임지에서 잃어버린 시간을 보상해줬다. 내 생애에서 가장 적극적 도전의 시기였다.

　　나는 USC에 복학해 1985년 교육학 석사학위를 받았다. 풀타임학생으로 주로 야간 클래스를 수강했지만 때로는 유급 휴무시간을 이용해 낮 클래스도 수강했다.

　　그 후 LA 근교 라번대학에서 1985년부터 1987년까지 공부하고 공공행정학 박사학위를 취득했다. 이 학비 역시 미래 고위 행정관 후보 양성을 위한 정부의 연장교육 프로그램에서 지원 받았다.

　　워싱턴DC의 FAA 본부를 수시로 방문하면서 나는 그곳 국방대학교(NDU)에서 열리는 많은 세미나에도 참석해 1985년부터 1986년 사이 국가안보 관리분야의 각종 인증서를 땄다. 이들 코스 역시 통신교육으로 이뤄졌다.

　　공중전대학과 국방대학교 교육은 고급 행정학 코스로 정부 고위직에 승진하기를 원하는 공무원들이 수강했다. 내가 그런 길을 추구했다. (나는 공중전대학과 국방대학교의 두 코스를 1986년 로스앤젤레스 공군기지에서 수료했다.)

제 13 장

미국 국방대학교(NDU)

국방대학교와 인연을 맺은 나는 2009년부터 2017년까지 8년간 국방대학교재단 이사회의 일원으로 봉사하게 됐다.

이사회에서 은퇴한 직후 이사회는 나에게 평생 '명예이사'의 호칭과 직책을 부여하는 안건을 전원일치로 가결했다.

나는 그 두가지를 이제껏 내가 받은 명예 가운데 가장 큰 것으로 자부한다. 그것은 내가 미국정부에서 일한 경험은 물론 NDU 및 NDU 재단에서 일한 경험들의 결정체 같은 것이다. 나는 은퇴한 상황에서도 여전히 NDU 재단에 활발하게 참여하고 있다.

NDU 재단이 하는 사업과 외부 인사들이 도울 수 있는 방법을 간단히 설명하기 위해 재단 웹사이트의 설명문을 일부 인용하면 다음과 같다:

"NDU 재단은 국방대학교(NDU)에서 공부하는 국방, 안보, 평화유지 전문가들의 교육 및 리더십 함양을 위해 투자한다.

"NDU 재단은 공개 모금행사에서 필요로 하는 쪽과 그를 가능하게 해줄 수 있는 쪽 사이의 교량역할을 담당함으로써 NDU에 혜택을 줄 민관 협력관계의 가교가 되며 NDU의 지구촌 교류를 향상시키고, 기관 간 합동교육기관으로서의 NDU의 위상을 확고하게 한다.

"우리는 이 같은 파트너 투자를 '탁월함의 여유'로 부른다. 이는 NDU가 교직원 및 학생들에게 경험을 통한 학습경험을 보충해주고 지원해줄 수 있는 능력의 한계를 높여주는 재원이 된다. 우리는 학교 전반에 걸쳐 교육의 우수성을 최고수준으로 유지시키고 우리의 모든 프로그램과 창의성을 강화함으로써 학생들이 잠재력을 성취할 수 있도록 돕는 것을 사명으로 한다. 또한 우리는 NDU가 사회에 괄목할만한 발전과 공헌을 할 수 있는 상황에 처할 때 이를 위해 전략적으로 투자하는 것이 중요하다는 점을 인식한다."

국방대학교(NDU)재단의 투명성과 연대성

NDU 재단은 파트너들과 투명성, 적극적 연대감 및 호응성을 기반으로 장기적 관계를 형성한다. 국방대학교 학생들에게 세계수준급의 교육경험과 기회를 제공해주는 것에 더해 우리의 파트너들은 한정된 학술, 사교 및 전문직 활동에 참가토록 초청되며 그로 말미암아 국가안보 사안에서 타의 추종을 불허하는 학식 및 경험을 터득할 수 있는 기회를 얻게 된다.

NDU는 또한 '미국 애국자상'을 시상한다. 나는 수년간 수상 대상자 선정작업에 참여했다. 웹사이트에는 다음과 같이 설명돼 있다.:

"미국 애국자상(APA)은 NDU 재단에 의해 매년 시상되며 비범하게 탁월한 리더십으로 국가의 전략적 관심사를 강화시킨 남녀 미국인들의 공적을 기린다. 이 상은 영감있는 리더십과 자기희생적 헌신으로 인류의 안전과 지구촌 안정의 제고를 추구하는 미국의 이념 및 민주주의 원칙을 구현한 예외적 미국인들을 명예롭게 하기 위해 시상된다."

2018년 시상식은 워싱턴DC의 로널드 레이건 빌딩과 국제무역센터에서 열릴 예정이다. 수상자는 미국의 61대 국무장관인 제임스 A. 베이커씨와 23대 국방장관을 역임한 레온 파네타씨이다.

내가 NDU 이사회에 몸담아 있는 동안 미국 애국자상 수상자 후보로 투표한 애국자들중에는 헨리 키신저 박사, 콜린 파월 장군, 조지 H.W. 부시 대통령, 존 맥케인 연방상원의원, 로버트 게이츠 박사, 존 브레넌 국장, 힐러리 클린턴 여사 등이 포함돼 있다. 김영옥 대령 역시

NDU 재단에서 영예를 받았다.

이사들은 설정된 지침에 따라 수상 후보자들을 물색한 다음 투표로 최종 후보를 결정했다. 시상식에는 각계각층 인사들이 참석했다. 미국 애국자상 시상식은 항상 잔치 분위기였고 참으로 기억에 남을만한 행사였다.

국방대학교는 다른 여러가지 행사를 개최하고 있다. 나는 이 대학의 동문이기도 하다.

이미 앞에서 말한 나의 고모 리사는 결혼후 시카고 지역에서 살았다. 그리고 나와 사촌간인 아들과 딸 두명을 두었다. 무엇보다도 가정의 전통에 따라 교육을 아주 잘 시켰다.

아들은 미 육군사관학교를 졸업했고, 딸 샤론은 미 공군사관학교를 졸업했다. 공군사관학교를 졸업한 3번째 여성이다. 샤론은 미 공군 중장으로 예편했고, 오늘은 제너럴 다이나믹스 미션 시스템의 부사장이다.

한인계인 샤론 K. G. 던바 예비역 공군 중장(왼쪽에서 2번째)과 나 그리고 미국주재태국대사 비가바트 이사바하크디와 부인. 한국전 때 태국군인의 참전을 감사해서 베푼 자리이다.

국방대학교재단 (NDUF)의 이사 시절

제 14 장

항공학 교수

나에게 가르칠 기회가 처음 찾아온 것은 FAA가 '항로과학 학사' 프로그램을 개발한 1985년이었다. 캘리포니아 주립대학이 이들 코스를 강의할 교수들을 구하고 있었다. 내가 적격자였다. 하지만 FAA의 허가를 받아야 했다. FAA는 자격을 갖춘 직원들이 강의를 맡도록 적극 장려했다.

그렇게 해서 내가 처음 선 강단은 캘리포니아 주립대-LA 캠퍼스(Cal-State, LA)였고, 거기서 1985년부터 1986년까지 항공학을 가르쳤다.

비슷한 시기인 1985년부터 1987년까지 롱비치의 엠브리-리들 항공대학에서도 가르쳤다. 내가 맡은 강의 과목은 항공에서의 인간요소 및 사고결과 예상 분석이었다.

사우디 아라비아 파견근무를 마치고 미국으로 귀환한 1992년 후 다시 엠브리-리들 항공대학에서 석사 코스를 가르쳤다. 학생들은 보잉의 C-17기 제조공장에 배속된 매니저급 직원들이었다. 이들은 진급하려면 석사학위를 취득해야 했다. 물론 내 강의실은 전체 학기동안 100% 출석률을 기록했다. 진급욕망은 참으로 좋은 동기부여이며 실패에 대한 두려움이 때로는 일을 성취시키는 요인으로 작용한다.

나는 1995~2000년 다시 엠브리-리들 대학에 돌아갔고 드라이든 에드워즈 공군기지에서 고급 개발 프로젝트인 '스컹크 웍스' 프로

엠브리-리들 항공대학의 보잉 C-17 매스터 코스를 수강한 매니저급 학생들.

그램을 강의했다.

　　엠브리-리들 항공대학은 1997년 나에게 부교수직의 영예를 안겨줬다. FAA는 자격을 갖춘 직원들이 대학 등 외부기관에 나가 강의하는 것을 장려하고 축복해줬다.

　　그렇게 8년간을 나는 몇몇 유명 대학과 교육기관에서 가르치는 기쁨을 향유했다.

　　그후 2005년 나를 부교수로 공식 임명한 엠브리-리들 항공대학의 토머스 시랜드 학무처장이 나에게 보내준 다음과 같은 내용의 임명장을 나는 지금도 감사하게 생각하고 귀중하게 여긴다.

　　"이 학술 직위의 취득은 귀하가 고등항공교육에 뛰어난 전문지식으로 기여했음을 인정하는 것입니다. 귀하는 경력교육 단과대학의 역동적 환경에서 만나게 되는 어려운 도전들을 맞닥뜨리고 극복했습니다. 이에는 유연성과 적응성, 그리고 직장을 가진 성인들의 교육이 필요로 하는 사안들에 대한 이해가 필요합니다. 귀하가 교실 안팎에서 경주하신 노력은 우리 졸업생들의 성취와 성공에 뚜렷하게 반영됐습니다."

드라이든 에드워즈 공군기지의 국장급들을 위한 매스터 코스.

　　가르치는 일의 장점은 남을 가르치는 과정에서 자신도 지속적
으로 배우면서 스스로를 교육시킨다는 사실이다. 효율적인 교수가 되
는 비결과 자발적인 학생이 되는 비결은 똑 같다. 다짐하고 이행하는
것이다

제 15 장

기부의 '예술'

한국 예술품에 대한 나의 사랑과 열정이 내 유전자에 들어 있다고 말하는 사람들이 있을지 모른다. 그 말은 정확한 표현, 아니면 정확한 표현에 가장 가까운 말일 수 있다.

앞서 내가 우리 어머니에 관해 설명한 것처럼 그 분의 예술 소장품은 신라, 고려, 조선왕조 시절 작품까지 아우른다. 이씨 조선은 AD 1392년부터 약 5세기동안 이어졌다.

어머니의 예술품 수집은 그분의 할아버지(나의 외증조부)에게서 대대손손 전해 내려온 한국 예술품들을 물려받은 것으로 시작됐다. 외증조부가 어머니에게 이를 상속한 데는 이유가 있다. 손녀딸인 어머니를 애지중지하셨을 뿐 아니라 어머니가 이들 예술품의 가치를 이해하고 이를 누구보다 잘 관리할 것으로 생각하셨기 때문이다. 우리 아버지도 마찬가지셨다. 앞서 밝힌 대로 아버님은 로스앤젤레스주재 한국 영사로 처음 미국에 들어오셨을 때 자신의 한국예술 소장품을 가져 오셨다. 이들 예술품을 아버지는 외교관 모임이 있을 때 '분위기 조성용' 으로 사용하셨다는 것도 앞서 설명했다.

이처럼 아버지와 어머니의 각각 자신의 조상들로부터 한국 예술품들을 물려받아 이들을 세 아들에게 고스란히 물려주셨다. 나 자신도 일본, 중국, 베트남 안남의 예술품들을 수집해서 부모님의 소장품에 보탰다.

외숙모 임창순씨의 서울 자택에서.

독자 여러분은 또 내가 한국에 돌아갔을 때 다닌 경기중학교의 담임선생님에 대해 이야기한 것을 기억하실 것이다. 당시 이름난 한국 현대화가였던 박상옥 선생님은 한국예술품에 대한 나의 열정을 일깨우고 불을 붙이셔서 내가 어른이 된 뒤까지 이어져오게 하신 분이다.

내가 여러분께 말씀드리지 않은 또 한분의 예술분야 멘토가 있다. 외숙모 임창순씨이다. 외숙모는 나의 영웅이자 나의 성인생활을 통틀어 나에게 아시아 예술품들에 관해 가르쳐준 분이다. 그분은 우리 어머니 오빠(나의 외삼촌)의 부인이다. 아마도 외숙모는 드러나지는 않았지만 가장 식견있는 한국예술품 수집가였을 것 같다. 그분은 2003년 별세하셨다.

예술품 소장의 배경

한국인이 처음 미국에 이민 온 것은 1903년 하와이주 호놀룰루였다. 나는 이 역사적 일을 기념하기 위해 한인이민 100주년기념의 해인 2003년 하와이대학 한국학센터에 한국예술품 100점을 기증했다.

대학당국은 그 한세기동안을 돌아볼 수 있는 이민 사료와 한국 예술품들을 널리 구하고 있었다.

같은 해인 2003년 나는 로스앤젤레스카운티미술박물관(LAC-MA)의 이사로 영입됐다. 그후 2006년까지 이사직을 수행하며 LACMA의 한국 전시실과 전시물을 확장했다. 나는 그 직책을 참으로 즐겼다. 그 기간에 내 소장품 가운데 한국예술품과 베트남 안남의 일부 예술품들을 LACMA에 기증할 기회를 가졌다.

내가 LACMA와 함께 한 경험은 내 인생의 하이라이트 중 하나로 계속 이어지고 있다. 이 같은 특별한 일은 다문화에 관한 이해를 증진시키고 상호존중을 진작시켜 준다.

이미 말했듯이, 나의 어머니도 자선 기부를 많이 하신 분으로 미주한인들 사이에 기억되고 있다. 그 분은 자신의 한국예술 소장품을 기부함으로써 한인커뮤니티에 돌려드린 것이다.

여러분들도, 기회가 되면 여러분을 너그럽게 대해준 커뮤니티에 여러분의 방식대로 환원하는게 좋다고 나는 믿는다. 내 자신의 방식

LA카운티미술박물관(LACMA)에 2003년 기증한 소장품

은 예술품 기증이었다. 나는 내가 속한 커뮤니티와 나의 나라인 미국에 너무나 많은 신세를 졌다. 이민자로 이 땅에 왔지만 오늘날의 나로 우뚝 설 수 있도록 기회를 부여받았다. 나에 관한한 다른 어느 나라와도 비교가 안된다.

예술에 대한 나의 철학

지금까지의 나의 인생철학은 "나는 수집하고 나눈다. 그러므로 나는 존재한다"였다. 주는 그일을 계속하고 싶다. 그렇게 함으로써 나는 어머니의 사회환원 철학을 이행할 수 있다.

어머니와 내 아내는 똑같이 서울의 경기여자중고등학교를 졸업했다. 기억하시겠지만 나 역시 경기 출신이다. 아내와 나는 어머니를 기념하는 뜻에서 경기여고의 학교박물관 개관을 지원하기 위해 우리의 소장품 중 몇점을 기증했다. 이 기증은 2004년 이뤄졌다.

지난 2007년에는 나의 모교인 남가주대학(USC)의 사회사업 대학원에 '100명의 학자들'이라는 타이틀이 붙은 250년 된 고전 그림을 기증했다. 이 대학원의 '한인지도자 네트워크 펠로십프로그램(Net-KAL)'을 위한 모금행사에서였다. 이에 더해 나는 USC의 도헤니 기념 도서관과 한국학연구소에 참으로 독특하고 값진 한국 예술품 14~18점을 기증했다. 내가 USC의 NetKAL 프로그램에 기증한 예술품들만 여섯자리 숫자의 가치를 지녔다.

나는 당시 기자회견에서 "차세대 한인지도자들을 육성하기 위해 창설된 NetKAL 프로그램의 사명을 나는 전폭적으로 지지한다"고 밝혔다.

총체적으로 말하면 나는 나의 예술 소장품 1,000여점 가운데 절반인 500점 이상을 LA카운티미술박물관과 USC를 비롯한 여러 기관

남가주대학(USC) 후원자 모임에서.

에 기증한 것이다.

분수령을 이룬 시기, 숭례문 방화사건

　내가 문화재 소장품들을 기증하기 시작한 것은 그 방법에 관해 오랫동안 생각해온 뒤 였다. 무엇보다도 예술 소장품을 넘겨줄 사람이 내 가족중에는 없다는 걱정이 그런 결정을 내린 배경이 됐다. 예술품에 대해 나와 똑 같은 수준의 관심을 가진 사람이 가족 중에 없다는 뜻이다. 아들이 한명 있는데 의사이다. 당연히 그의 열정은 온통 의학에만 쏠려 있기 때문에 이만한 분량의 예술 소장품을 관리할 시간적 여유가 없다.

　내가 가진 정도의 예술 소장품을 돌본다는 것은 벅차고 힘든 일이다. "돌본다"는 말 자체가 단순히 관리유지 차원을 넘어 꾸준히 수집품 확장을 시도해야 함을 의미한다. 일종의 '레저 활동'이지만 청지기로서의 필요충족과 책임감이 따른다. 나는 이 일에서 보람과 재미를 만끽한다. 하지만 누구나 다 그런 것은 아니다.

지난 2008년 나는 슬픈 소식을 들었다. 방화범이 지른 불로 한국의 국보 제 1호인 서울의 숭례문(남대문)이 파괴되었다는 것이었다. 숭례문은 '예절을 숭상하는 대문'이라는 뜻이다.

한국인들은 이 화재로 기념비적 역사적인 건물이자 상징적 문화재를 잃었다. 원래 조선왕조의 출발과 함께 이조중엽 건축된 숭례문은 서울에서 가장 오래된 목조건물이다. 이 문과 연결돼 당시 한양(서울)을 둘러싸고 있던 성곽은 21세기 초까지 남아 있었다.

화재가 일어난 다음 날 아침 시민들이 현장으로 몰려와 문화재 상실을 애도했다. 개인적 차원의 슬픔이 아니었다. 숭례문은 자자손손 한국인들을 상징적으로 함께 결속해주었다. 한국 역사 가운데 600년을 지켜봤다. 산처럼, 하늘의 달처럼 변치 않는 존재였다.

크리스토퍼 로티스와 미첼 D. 리가 우리 부부에 관해 쓴 책이 있다. '정체성의 상징: 체스터 장-완다 장의 소장품에서 본 한국 도자기들'이 그것이다. 이 논문에서 두 저자는 숭례문이 "단순히 목재 및 석조 건물이 아니며 하나의 문화를 형상화하고 한민족의 정신과 정체성을 상징하고 있다"고 갈파했다.

당시 나는 한 방송 뉴스 프로그램에 출연해 "못이 내 심장을 뚫고 지나간 느낌"이라고 말했다. 나 자신 미국에 처음 가기 전에 숭례문 근처에서 살며 어린 시절을 보냈다. 나는 그 건물을 지긋이 바라보며 조상들이 물려준 자긍심과 유산의식이 자라남을 느꼈다. 그 건물이 우리들에게 그렇게 말하는 것 같았다.

이 한국 문화재의 안타까운 파괴를 지켜보는 중에 생각난 것이 있었다. 한국정부 산하기관인 한국재단에 내가 기부하기 시작할 좋은 시점이라는 것이었다. 나의 기부행위가 국보 제1호를 잃고 슬픔에 잠긴 한국인들을 위로하고 문화재의 가치에 대한 그들의 인식을 새롭게 해주는 데 도움이 되길 바랐다.

당시 내가 기증한 예술품 중에는 도자기 향로가 포함됐다. 나는 2008년 겨울 이 향로를 직접 손에 들고 의례를 갖춰 현지에 전달했다.

내가 이 작은 향로를 직접 손에 들고 간 데는 몇가지 각별한 의미가 있었다. 우선 한국역사의 조선왕조 시기에 이 향로가 조상들을 위한 제사에서 사용됐다는 사실이다. 내가 향로를 공손하게 들고 감으로써 나름대로 조상 경배에 대한 나의 이해를 보여주고 귀중한 상징적 문화재를 잃은 한국인의 고통을 경감시켜 주겠다는 의미였다.

숭례문은 5년 후 재건되었다. 불길에서 건져낸 목재 일부가 재사용 됐다고 했다. 새 숭례문이 또 다시 600년, 아니 그 이상 존속하기를 바라는 마음 간절하다.

나는 그 후 산수화 8쪽 병풍을 한국재단에 기증했다. 재단은 회보를 통해 "약 250년전 조선왕조 시기에 제작된 것으로 믿어지는 이 병풍은 상단 둘레에 시가 쓰여 있다는 점이 특기할 만하다. 그래서 이 병풍은 한국의 아름다움을 미술적으로도, 시적으로도 표현하고 있다"고 평가했다.

회보는 이어서 이 산수화가 "다양한 새들이 포함된 우아한 정경을 담고 있어 한국의 자연미를 잘 묘사하고 있다"고 덧붙였다.

아마도 이 병풍은 원래 조선왕조시대 한 고관대작의 저택에 있었을 것 같다. 방의 우아한 칸막이로 사용됐을 수도 있고, 겨울철 한기의 침투를 막아주는 역할을 했을 수도 있다. 한국의 겨울은 대단히 춥다.

앞서 나는 이 병풍을 포함한 한국예술품 6점을 2003년 호놀룰루 예술원에 임대했었다.

한국재단은 회보에서 나에 관해 설명하면서 "세계 수준급의 한국 골동품 및 예술품 수집가"이며 "보다 많은 외국인들이 한국문화에 대해 올바로 이해하고 평가하도록 돕기를 바라는 마음을 담아" 이를 한국재단에 기증했다고 설명했다.

앞서 말한 숭례문 방화사건 때 나는 향로 외에 다른 14점의 예술품을 한국에 기증했다. 귀중한 보물이 화마로 파괴된데 대한 한국 국민의 슬픔과 상실감을 달래주기 위해서였다.

내가 기증한 다른 예술품 중에는 고려말 충신의 표상인 정몽주의 전장 인물화가 포함돼 있다. 이 인물화는 재미한국예술재단에 기증됐다. 나는 50여년간 소장했던 이처럼 다양한 예술품들을 기증하기로 결심한 후 한국재단에 적절한 기부처를 물색해주도록 의뢰했었다.

나는 1958년 미국에 이민 온 이후 40여년에 걸쳐 1,000여 점의 한국 예술품을 수집했다. 이들 중 약 500점을 이름있는 기관들에 기증했고, 앞으로도 내 소장품을 한국과 다양한 성격의 기관에 기증할 계획이다. 그렇게 함으로써 한국 고유문화와 한국인의 정체성 확립을 돕는 작업에서 한 부분을 담당한다는 것이 나의 목표이다.

내가 가장 최근 호놀룰루 미술박물관에 기증한 한국 예술품은 김홍도의 '선 우화'이다.

이조시대 화병과 나(LACMA)

걸프 스트림 5호 비행기는 내 아들의 한국이름인 '장진현'을 따서 명명됐다.
(2005년 10월 3일)

가장 슬펐던 기부

지난 2005년 5월 7일, 장남인 체스터 클레어런스 장이 로스앤젤레스 코리아타운의 한 식당 밖에서 총격을 받고 숨졌다. 그 때 나이가 26세였고 한 민간항공사에서 조종사로 일하고 있었다. 아들은 친구들과 저녁을 함께 하려고 외출 중이었다. LA경찰국 아시안 범죄부의 앨런 솔로몬 형사는 클레어런스가 식당 밖에서 두 아시안 갱들 사이의 싸움을 말리려했다고 전해줬다.

클레어런스는 한해 전인 2004년 LA카운티미술박물관(LAC-MA)에 20세기 도자기 항아리 하나를 기증했다. 유럽풍 정경으로 아름답게 장식된 예술품이다. 클레어런스는 이 도자기가 동서양 문화의 융합을 상징적으로 보여주고 있다며 각별히 아꼈었다. 이 도자기는 또한 평화와 조화도 상징적으로 나타내고 있다.

예를 들면, 이 도자기의 앞쪽 면에는 굴뚝이 딸린 서양풍의 집이 그려져 있고 반대 면에는 베네치아 풍의 작은 곤돌라 하나가 그려져 있다.

그 도자기를 이제 나도 아끼게 됐다. 단순히 흙으로 빚은 도자기 이상의 의미가 담겨져 있다. 나와 내 가족에게 개인적으로 심원한 중요성과 상징성을 나타내 준다. 물론 클레어런스 때문이다. 그 도자기가 존재해야할 이유는 무수히 많다.

특히 그 도자기는 내 아들이 무엇 때문에 생명을 버렸는지를 잘 대변해준다. 화평케 하는 자가 되기 위해서였다.

이처럼 고통스러운 비극을 견디는 과정에서 나는 아들의 이름으로 예술품들을 기증하기로 결심했다. 로스앤젤레스의 다양한 아시안 커뮤니티 사이에서 일어나는 긴장을 해소시키려는 것이 목적이었다. 이를 위해 내가 선택한 예술품은 '지나 부다 아미타바'로 불리는 베트남의 목각 라커 불상이었다. 기증한 곳은 역시 LA카운티미술박물관(LACMA)이었다.

2005년 LA카운티미술박물관
LACMA에 기증된 베트남 라커 불상 '지나 부다'.

당시 나는 로스앤젤레스 타임스에 아시아의 다양한 문화권에서 불상은 하나의 공통적인 종교 신앙을 상징한다고 설명하고 그 불상이 LACMA에 기증됨으로써 LA 지역 베트남 이민자들에게 자부심을 갖게 해줄 것이라고 말했다.

높이가 27인치인 그 좌불상은 18세기 작품인 것으로 추정된다. 라커와 담홍색 도료로 칠해져 있으며 LACMA의 동남아화랑에 전시돼 있다. 나는 그 부처상을 1960년대 사이공의 한 민간인 수집가에게서 구입했다.

이 부처상을 기증한 후 나는 LACMA의 동남아 예술담당 사서이자 UCLA의 인도-동남아 미술학 교수인 로버트 브라운 박사가 LA 타임스에 설명한 말을 듣고 무척 기뻤다. 브라운 박사는 그 좌불상이 전시되자마자 이 분야 연구에 관심이 있는 베트남계 박사과정 학생들로부터 문의가 쇄도하고 있다고 말했다.

LA 타임스 기사는 현재 서방세계 박물관에 전시된 베트남 불상은 50개도 안 된다는 것이 전문가들의 추정이라고 밝혔다. 브라운 박사는 "이 분야의 학술연구가 너무나 미진했음을 강조하지 않을 수 없다"며 "우리도 이 불상 밖에는 가진 것이 없다"고 덧붙였다.

아들 클레어런스가 공격범의 흉탄에 쓰러진 직후 나와 아내는 한국 국립박물관에 소장품 중 하나를 기증하기로 결정했다. 19세기경에 제작된 '매치록(matchlock)' 장총이었다.

이 기증품은 총으로 인해 세상을 떠난 아들을 기념하기 위해서였다. 왕궁 근위병들이 왕족을 보호하기 위해 사용했던 이 구식 장총은 내 아내가 소장품 중 좋아했던 품목이다. 이제 이 장총은 우리가 나온 나라에서 왔다가 다시 우리 조상의 나라로 돌아가게 됐다.

클레어런스가 사망했을 때 어머님이 생존해 계셨다. 어머님은 클레어런스를 기념하는 첫 기증품으로 LACMA에 도예품을 기증하셨다.

아내 완다는 19세기에 제작된 매치록 구식 장총을 한국국립박물관에 기증했다.
왼쪽은 전영재 LA한국문화원 원장(2005년 10월 5일)

진품성, 믿어도 검증 되어야

지난 2007년부터 나는 내 도예 소장품 중 일부를 과학적으로 실험하기 시작했다. 나로서는 소장품의 진품 증명이 무엇보다 중요했기 때문이다. 다른 수준급 수집가들도 마찬가지다.

내가 소장품의 진위여부를 검증해야할 필요를 절감한 것은 동남아시아 예술품들의 위조기술이 수년에 걸쳐 무척 정교해졌기 때문이다. 전문가들은 국제 미술품 시장에 나와 있는 중국 예술작품들 중 20%가 짝퉁인 것으로 추정한다.

내가 택한 검증 방법은 소위 '열 루미네슨스(thermolumines-cence)' 연대 측정법이다. 간단히 줄여서 TL로 불린다. TL은 특정 도자기가 처음 만들어지거나 구워진 이후 노출된 방사능의 양을 측정하는 방법이다.

이 같은 실험결과로 도자기가 만들어진 시기를 측정할 수 있다. 정확도에 20% 정도의 오차가 있는 것으로 알려졌다.

도자기나 석기 작품에 TL을 실험하려면 먼저 실험대상 그릇에서 지름 3mm, 길이 4mm의 원통형 알갱이를 채취하는 작업이 필요하다. 유약이 칠해지지 않은 바닥의 두 곳에서 빼낸다. 물론 가장 눈에 띄지 않는 부위에서 찝어 내는 것이 이상적이다.

이들 알갱이는 고온 처리될 경우 옅은 파란색 빛을 발산한다. 그래서 '열 루미네슨스'라는 실험 이름이 붙게 되었다.

알갱이를 고열 처리하는 과정에서 발산하는 빛, 곧 '열 루미네슨스'가 많으면 많을수록 해당 도자기가 방사능에 더 많이 노출됐음을 의미하고, 따라서 그 도자기의 제작 연대가 더 오래됐음을 알 수 있다.

이처럼 실험을 위해 도자기에 구멍을 뚫고 알갱이를 채취해야 하기 때문에 TL은 자칫 도자기에 흠집을 내 예술품으로서의 가치를 훼손하는 결과를 초래할 수도 있다.

나는 내 도자기 수집품들 가운데 100여점을 TL 실험대상으로 선택했다. 이는 1,000여 점의 내 소장품 가운데 과반수가 도자기 제품이라는 점을 감안할 때 상당히 높은 비율이라고 할 수 있다.

하지만 앞서 말한 것처럼 소장품의 진품성은 나에게 가장 중요한 요소이다. 개별 소장품의 금전적 가치가 떨어지는 선례가 발생할 염려가 있었지만 진품성 검사는 해야만 했다. 알갱이가 실험대상 예술품의 바닥에서 채취되기 때문에 실제 손상은 미미하다는 것이 나의 견해이다.

이를 두고 독자 여러분은 도자기 판 '토지 수용권'이라고 말할 법하다는 생각이 든다. 가장 많은 사람들을 위한 가장 좋은 선택이라는 점에서 그렇다. 사람들 자리에 도자기를 대치했을 뿐이다.

내 소장품 가운데 TL 실험을 통해 진품성이 심각하게 의심된 예술품은 전혀 없었다. 내 목표는 내 소장품의 진품성을 가능한 한 최대한도로 입증하는 것이었다. 내 소장품의 진품성 실험은 모두 영국 옥스퍼드대학 부설 옥스퍼드 진품성감정소에서 이뤄졌다.

내 소장품은 도자기 제품을 위주로 하고 있다. "도자기는 한국역사에 나타나는 중요한 공예품이며 왕궁과 귀족은 물론 일반 평민들의 일상생활과 불가분의 관계를 맺고 있다"고 크리스토퍼 로티스와 미첼 D. 리가 나에 관한 책에서 기술했다.

간단히 말해서 TL 실험도 약점이 없는 것은 아니다. 짝퉁업자들이 그 약점을 악용해서 불법행위를 더 자행하려고 시도한 것도 사실이다. TL 실험결과에 절대로 오류가 없다고 말할 수는 없다고 할지라도 이는 진품성을 증명하는 강력한 방법으로 꼽힌다.

내 소장품을 소재로 두 권의 책이 저술됐다. 하나는 앞서 언급한 로티스와 리가 공저한 "정체성의 상징: 체스터와 완다 장의 소장품에서 볼 수 있는 한국 도자기"이고, 다른 하나는 "한국전쟁에서 나온 미지의 예술: 체스터와 완다 장 소장품 탐구"이다. 이들 두 책은 스미소니안연구소 산하 국립역사박물관의 아시안 역사 프로그램에 의해 출간됐다.

예술작품에 대한 마지막 생각

내가 예술품을 수집한 것은 그 과정에서 얻는 순수한 즐거움과 그 예술품이 지닌 중요성 때문이었다. 나는 한국예술 소장품들을 각계에 기증함으로써 미래 세대들이 예술을 통해 흘러간 시대를 공부할 수 있도록 했다.

지능있는 외계 생명체를 다룬 일부 공상과학 영화에서 앞으로 숫자가 우주의 유일한 공용어가 될 가능성이 있다는 의견이 제기됐다. 외계인과 최초로 접촉이 이뤄질 때 대화의 문을 여는 열쇠를 숫자에 의존하게 된다는 얘기다.

　　영화 '접촉(Contact)"에서 여류우주인 엘리 애로웨이(졸리 포스터 분)는 세티 프로젝트가 잡아낸 신비의 라디오 통신에 귀를 기울인다. 이윽고 그녀는 흥분된 어조로 "소수(素數)다! 2, 3, 5, 7... 모두 소수다. 이는 절대 자연현상이 아니다"라고 외친다. 나는 그게 무슨 뜻인지 잘 알지 못한다. 하지만, 우주가 아닌 이곳 지상에서는 예술을 통해 문화를 공유하는 것이 다른 부류의 사람들 사이에 공통적 이해를 구축하는 중대한 시발점임을 깨달았고, 또 그렇게 믿고 있다. 우리의 문화와 지역과 종교와 정치가 아무리 다를지라도 우리는 누구나 이들을 제쳐놓고 예술을 통해 문화를 공유할 수 있다.

조선시대 고궁의 수호상들

노숙자의 인간적 존엄성을 위해

이 책의 판매 수익금은 노숙자들을 위한 자선 기부금으로 쓰려고 한다.

나의 작은 지원의 손길이 노숙자들로 하여금 더 높은 '고도'(ALTITUDE)에 이르도록 도울 수 있기를 바란다.

"작은 물방울과 작은 모래알이 모여 장엄한 바다와 안락한 땅을 이룬다"는 격언을 새삼 강조하고 싶다.

노숙자 집단은 각각 상이한 사유를 지닌 개인들로 이뤄진다. 그 중에는 사랑하는 가족이 도와줄 수 없는 형태의 지원을 필요로 하는 사람들이 있다. 예를 들면 중증 마약중독자들과 정신건강에 문제가 있는 사람들이다. 바로 이런 사람들에게 정부당국과 민간 기관의 지원의 손길이 닿아야 한다.

하지만 보호소 수용자들을 포함한 대부분의 노숙자들은 이웃 사랑을 실천하는 개인들로부터도 크게 도움을 받을 수 있다. 이들이 처한 상황에 관심을 갖고, 이들을 인생의 실패자로 매도하지 않으며, 이들이 추락한 곳에서 다시 자립할 수 있도록 도울 수 있는 길이 무엇인지 살펴봐야 한다.

일자리를 잃었거나 봉급을 한두달만 못 받아도 노숙자로 전락할 위기에 처할 사람들이 이 나라에 수없이 많다는 이야기를 우리는 모두 듣고 있다.

기억하실지 모르지만, 나도 우리 가족이 피난민으로 부산에 도착했던 1953년 노숙자가 돼 공포의 삶을 살았었다. 우리 가족이 가난했던 것은 아니다. 아버님의 집이 서울에 있었지만 그곳에 갈 수 없었을 뿐이다. 어쨌거나 우리 가족이 부산에 있는 동안에는 별 수 없이 노숙자였다. 한동안 집단보호소에서 살다가 삼촌이 자기 집으로 우리를 불러들였다. 그 때 내가 느꼈던 그 안도감을 현재 노숙자 상황의 사람들에게도 안겨주고 싶은 마음이다.

노숙자들마다 상황이 다르다. 하지만 그건 전혀 문제가 안된다. 노숙자가 되는 것을 원치 않는 사람들이 노숙자가 되도록 버려둬서는 안된다. 세상이 적자생존의 삶이어서는 안된다. 세상은 모든 사람들에 동정심을 펼치는 삶이 돼야 한다.

노숙자들을 위해 하실 수 있는 일을 해주시기 바란다. 우리 가족 역시 그렇게 할 것이다. 독자 여러분의 지원에 감사드린다.

그리고, 내가 쓸 다음 저서를 기대해주시기 바란다. 제2부는 내 인생의 부수적인 부분을 조명함으로서 1부와는 전혀 다른 내용의 이야기가 펼쳐질 예정이다. 어떤 부분은 다른 사람들의 이야기와 일치시켜야 한다. 나는 그것이 재미있었다. 독자 여러분들도 그렇게 될 것으로 믿는다.

인생의 의미가 중요한 것은 그것이 곧게 뻗어 있지도, 평탄하지도 않기 때문이다. 인생은 오히려 비행기 조종과 더 흡사하다. 일정하지 않은 고도에서 상승할 때도, 하강할 때도 있다. 기압이 달라짐에 따라 변화가 생기고 상황이 발전한다.

인생도 기압의 변화를 수용하면 달라진다. 나의 두번째 책은 내가 겪은 고도와 변화를 다룰 예정이다. 나의 계속되는 여정에 독자 여러분께서 참여해 주시기를 바란다.

글쓰기를 마치며

"가진 것을 나누며, 멘토가 되어주면 그의 인생이 크게 변할 것이다."

왜 책을 쓰고 싶었냐는 질문을 여러차례 받았다.

책을 한권 쓴다는 것은 쉬운 일이 아니다. 그런 경험을 해본 사람은 누구나 안다. 시간이 걸리고, 비용도 꽤 들어간다. 나도 이 책을 내는 데 그랬다. 특히 이런 성격의 책을 쓰려면 살면서 느꼈던 점들을 다시 떠올리지 않으면 안된다. 그 중엔 오랫동안 잠적해 있었던 느낌도 있다. 또, 좋았던 시절뿐만 아니라 매우 고통스러웠던 시절도 털어놓아야 한다.

나는 나의 삶에서 뭔가를 느꼈고, 그 느낀 것들을 독자 여러분과 나누고 싶었다. 그렇게 함으로써 내가 내 인생에서 배웠던 점들이 혹시라도 독자 여러분의 인생에 가치를 더해줄지도 모른다고 생각했다.

이 책을 쓰는 것 자체가 내가 살아오면서 항상 해왔던 일의 연속이었다. 의미 있는 일을 끊임없이 탐색하며 나 나름대로 변변찮은 방법으로나마 변화를 이루도록 노력한다는 것이다.

내가 이 책을 써야겠다고 마음먹은 계기는 상당히 오래전 강단에서 가르칠 때 찾아왔다. 내 교육철학의 요점은 주어진 임무를 이행하고, 지식을 남들과 공유하며, 그들에게 멘토가 돼 줘야한다는 것이다.

이들 세가지 중에 멘토 의식이 빠지면 남들과 공유한 것들이 끊기는 모양새가 된다. 이를 계속하기 위해 임무이행의 의지가 필요하다. 이는 삶과 일상의 생활스타일에서 전진을 이루도록 해주는 추진력이자 접합제이다.

임무이행과 정직성이야 말로 내가 가장 귀히 여기는 덕목이다.

물론 멘토십도 뒤지지 않는다. 내 가족과 친구들 외에도 나에게 조금이나마 관심을 기울여준 사람들 가운데 훌륭한 멘토가 돼준 분들이 수없이 많다. 누구나 당연히 가족의 멘토를 기대하지만 다른 사람들 중에서 멘토를 갖는다는 것은 드문 축복이다.

나에게는 1953년 우리 가족을 시애틀에서 서울로 데려다준 화물선의 선장도 멘토였다. 다른 사람들, 심지어 잠깐 조우한 사람일지라도, 그에게 관심을 기울이고, 가진 것을 나눠주고, 멘토가 돼주면 그의 인생이 얼마나 크게 변화될지 아무도 모른다.

내가 어린 아이였던 시절 책에서 읽은 격언 구절이 기억난다. "작은 물방울과 작은 모래알이 모여서 장대한 바다와 안락한 땅을 이룬다"라는 내용이다.

삶과 사회생활에서는 매사가 다음 단계로 이어져 축적된다. 정보가 그렇고, 발명이 그렇고, 지식이 그렇다. 책도 그렇다. 쓰는 사람에게도, 읽는 사람에게도 개인의 삶에 변화를 줄 수 있다. 이 같은 철학적 경로를 이 책을 쓰면서 터득했다. 독자 여러분이 탐구하고 있는 것을 이 책의 어느 부분에선가 찾을 수 있기를 소망한다.

내가 예술 소장품에 관해 말씀드릴 때 "나는 수집하고 공유한다. 고로 나는 존재한다"라는 나의 좌우명을 말씀드렸다. 이제 내가 이 책을 쓰게 된 동기도 다음과 같이 한마디로 멋지게 요약할 수 있을 것 같다.

"나는 공유한다. 고로 나는 존재한다".

책을 읽어주신 모든 분께 감사드린다.

2018년 6월 15일

산타모니카에서
체스터 장

도전정신으로 이룬 아메리칸 드림
Dr. Chester Chang의 삶과 꿈

People News의
표지인물로 선정
(2006. 3)

이름 : Chester Chang, Ph.D(장정기, 張正基)
부인 : Wanda Chang (김원옥)
출생 : 대한민국 서울
생년월일 : 1939년 2월
미국 도착 : 1948년 12월28일
한국 귀환 : 1953년
가족 이민 : 1958년
미국 시민권 취득 : 1964년

학력
– 32가초등학교 2학년 편입 (1948)
– 경기중학교 3학년 편입 (1953)
– 경기중학교 졸업 (1955)
– 경기고등학교 2학년 수료 (1957, 54회)
– LA고등학교 졸업 (1958)
– 남가주대학교(USC) 국제관계학 입학 (1959),
  3년 수료
– 메릴랜드대학 학사 (심리학, 1980)
– 오클라호마대학 석사 (인류자원학, 1981)
– 괌 앤더슨 공중전대학 수강 (1982)
– 남가주대학교(USC) 교육학 석사 (1985)
– 국방대학교(NDU) 국가안보관리 인증과정 수료
  (1986)
– 라번대학교 공공행정학 박사 (1987)

경력
– 연방항공청(FAA) 비행조종사 자격 취득
  (1958, 18세)
– 거넬항공사 취직 (1962)
– 스튜워드 – 데이비스항공사 취직 (1967. 9)

– 대한항공 기장 겸 훈련관 (1971 – 1973)
– 연방항공청(FAA) 조종사검사관(DPE) 자격취득
  (1974)
– 연방항공청(FAA)의 국방성 파견 근무
  (1979 – 1980)
– 도쿄주재 주일미국대사관 파견 근무
  (1980. 6 – 1981. 7)
– 연방항공청(FAA) 업무총국장 (1987. 9 – 1988. 6)
– 벨지움 미국대사관 파견 근무 (1987. 9 – 1988. 6. 1)
– 주사우디 아라비아 미국대사관 연방항공청(FAA)
  업무총국장 (1987.12 – 1992. 6)
– 남가주 론데일 서부태평양지역국 특수사업국장
  (1992. 6 – 2015. 6)

교수
– 연방항공청(FAA) 항로과정학과 교수 (1985)
– 칼스테이트LA 항공학 교수 (1986)
– 엠브리 – 리들 항공대학 석사과정 교수 (1992)
– 엠브리 – 리들 항공대학 정교수 (2005)

수상
– 라이트 형제 마스터 파이로트상 (2015)
– 주한미군사령관 존 베시상 (1980)

봉사
– LA카운티미술박물관(LACMA) 이사
  (2003-2006)
– 국방대학교재단(NDUF) 이사회 이사
  (2009 – 2017)

취미
– 예술품 등 1천점 수집, 소장
– 미술관, 박물관, 대학 등 5백여점 기증